Leonard Ornstein

# De jonge Fortuyn

2012

DE BEZIGE BIJ

AMSTERDAM

*Voor Larissa*

# Inhoud

# Voorwoord

Sommige politici bewaren niets uit hun verleden, andere bergen elke snipper zorgvuldig op. Pim Fortuyn behoorde tot de laatste categorie. Vanaf zijn jeugd verzamelde hij veel, zo niet alles wat in zijn leven een rol speelde – van bidprentjes en zwemdiploma's tot schoolagenda's, kattenbelletjes, sollicitatiebrieven en persoonlijke faxen.

Verzamelen is echter iets anders dan ordenen. Honderddertig dozen vol interessant materiaal bevatte zijn archief, maar vaak zonder die verbindende elementen die het beeld van Pim Fortuyn compleet maken. Gelukkig voor een biograaf zijn daar dan familieleden, vrienden, kennissen, collega's, oud-docenten, ex-geliefden en anderen die allemaal hun bouwsteentje aanreiken. Op deze manier kon ik niet alleen bekijken wat Fortuyn zelf achter heeft gelaten, maar kreeg ik ook veel waardevolle informatie van anderen over de hoofdpersoon van dit boek.

Waarom wilde hij van alles voor de geschiedenis nalaten? Had hij een voorgevoel dat hij ooit een beroemd persoon zou worden? Pim Fortuyn had stellig het idee een missie te hebben.

Roeping is het sleutelbegrip in dit boek. Of het nu gaat om Pims eerste, brandende ambitie om priester en dan ooit paus te worden of om zijn latere diepe wens om politicus te worden: Pim Fortuyn werd gedreven door een roeping. En ja, daar zat ook een flinke scheut ijdelheid bij.

Dit boek omvat de weerslag van het leven van de jonge Pim Fortuyn, de periode van zijn geboorte (in 1948) in Velsen-Zuid tot zijn gang naar Groningen (in 1972).

Het zou onjuist zijn de vele karaktertrekken van de oudere Pim één op één te herleiden tot de jonge Pim. Sommige ontwikkelingen in iemands leven hebben een logica die achteraf gemakkelijk verklaarbaar lijkt te zijn, maar de werkelijkheid is weerbarstiger. Iemands karakter wordt tijdens zijn leven gevormd door onverwacht mooie gebeurtenissen, barmhartige of wanstaltige medemensen en wrede spelingen van het lot. Persoonlijke geschiedenissen zijn daarom geen rechte lijn. En al helemaal niet bij Pim Fortuyn, die in de 54 jaar van zijn leven zo veel meemaakte. Toch zijn er bij Pim Fortuyn al van jongs af aan patronen zichtbaar die later zullen terugkeren.

Het beeld rijst op van een aanvankelijk schuchter, Velsens jongetje dat opgroeit in een lawaaiig, katholiek gezin met zes kinderen. In de jonge Pim schuilt al veel van het flamboyante dat de latere Pim kenmerkt, de politicus wiens flair en smaak zo afwijken van de Haagse mores. Het dagelijks leven moet hem al vroeg te saai, te weinig extravagant zijn voorgekomen. Hij leeft deels in een fantasiewereld waarin hij groots en meeslepend kan zijn. De jonge Fortuyn heeft gevoel voor theater en spel.

Hij groeit op met een aantal onwrikbare waarden. Als jongetje zit hij nog stevig verankerd in de katholieke zuil. Hij lijdt daar niet onder – integendeel, hij koestert zijn katholieke omgeving. Maar als student komt hij in een nieuwe wereld terecht en vindt er een omslag plaats. Die nieuwe wereld lijkt geheel in tegenspraak met de wereld waar hij zijn wortels heeft. De katholieke zuil is niet langer vanzelfsprekend. Zelf gaat hij in zijn leven veelvuldig op zoek naar nieuwe uitgangspunten of, zoals hij het prachtig in zijn eigen boek *De verweesde samenleving* verwoordt: 'We leven in een tijd zonder richting, zonder ideologieën, zonder aansprekende ideeën, zonder vaders en moeders, kortom in een samenleving van wezen.'

Pim Fortuyn is een babyboomer. Hij groeit op tijdens en wordt beïnvloed door de culturele revolutie van de jaren zestig. Door zijn leven schemert de eigentijdse geschiedenis, en wel op een dominante wijze. De Tweede Wereldoorlog, de Koude Oorlog, de ontzuiling en het demasqué van de verzorgingsstaat zijn steeds terugkerende piketpalen in Pims leven. De magie van de jaren zestig raakt Pim. Het decor van de grote politieke en maatschappelijke verandering bepaalt Fortuyn.

Mij fascineerde de vraag welke elementen uit zijn jeugd hebben bijgedragen aan de Pim Fortuyn zoals hij uiteindelijk zou worden. Waarom zette hij de stappen die hij uiteindelijk heeft gezet? Wie was Pim Fortuyn eigenlijk? Zijn wordingsgeschiedenis toont een kronkelig pad. Pim Fortuyn ondergaat in zijn leven vele gedaanteverwisselingen. Van katholieke scholier in driedelig pak op het Haarlemse Mendelcollege verandert hij in een student met linkse, marxistische sympathieën. Later transformeert hij van wetenschapper tot entrepreneur, van een schrijver en columnist die nog langs de kant staat tot een politicus die popelt om het heft in handen te nemen.

Wat is precies de kern van Pim Fortuyn? Zijn ultieme drijfveer? Hij wil graag beroemd worden en er werkelijk toe doen. Hij heeft op een onconventionele manier gevoel voor decorum. Wie zijn het die hem in die jonge jaren hebben gevormd? Wie zijn zijn helden, welke mensen hebben een beslissende invloed op de jonge Pim gehad?

Mijn verhaal voert van het verlegen Velsense jongetje naar de ontluiking van de jonge dandy – een jongen die kan plagen en uitdagen, een ijverige jongeman met een tomeloze energie en heel veel ambitie. Het boek eindigt bij de twintiger, de afgestudeerde socioloog die docent wordt in Groningen en die begint toe te geven aan zijn homogevoelens.

Over het leven van Pim Fortuyn bestaan al enkele interessante boeken. Van hemzelf is er *Babyboomers; autobiografie van een generatie*. Dat is absoluut een lezenswaardig document, maar bij nauwkeurige bestudering blijkt dat hij in dit boek eerder zijn persoonlijke gevoelens dan de feitelijke waarheid over de gebeurtenissen in zijn leven weergeeft. Hij voert ons naar zijn eigen werkelijkheid waarvan een groot deel klopt, maar op een ander deel het nodige valt af te dingen.

Pim Fortuyn wilde een eigen beeld van zichzelf scheppen. Dit doet hij door bepaalde zaken mooier te maken dan ze zijn, hij verdoezelt zijn misstappen of blaast zijn eigen rol op. Als vijftigjarige creëert hij in 1998 in zijn autobiografie *Babyboomers* een personage zoals hij zichzelf met terugwerkende kracht graag zag: als eenzaam kind, vlijmscherpe puber en succesvolle studentenleider. Overigens erkent hij in de inleiding van *Babyboomers* een 'subjectief' verhaal te hebben neergezet. Hij schreef: 'Mijn oogmerk is echter bovenal geweest het verhaal te schrijven, vanuit de belevingswereld van dat moment.' Zijn lezers moesten zijn levensverhaal 'voelen'.

Ik heb als onafhankelijk biograaf geprobeerd zo waarheidsgetrouw mogelijk over zijn jeugd en hemzelf te schrijven. Het was een exercitie die ik met veel plezier – en soms ook met lichte vertwijfeling – heb uitgevoerd, want Pim Fortuyn was een fascinerend, kleurrijk en uitgesproken persoon, een politicus die in de laatste etappe van zijn leven veel Nederlanders meevoerde door zijn theatrale, aansprekende manier van politiek bedrijven en die met zijn politieke nalatenschap de Nederlandse politiek blijvend heeft beïnvloed. Maar die fase in zijn leven speelt in dit boek nog geen rol; de latere Pim Fortuyn komt terug in het vervolg op dit boek: een biografie over zijn leven.

Pim had zichzelf op jonge leeftijd een opdracht gegeven. Die rustte op zijn jonge schouders. Wat die opdracht precies inhield, wist hij lange tijd zelf niet. Paus, wetenschapper of minister-president? Pas tien jaar voordat hij werd vermoord, formuleerde hij het met doeltreffende zekerheid: 'Allereerst heb ik een politieke ambitie.' Het had niet veel gescheeld of Wilhelmus Simon Petrus Fortuyn was als priester door het leven gegaan. Hij evolueerde in zijn leven van kerk naar politiek theater, van geloof in het Woord naar geloof in het vrije woord.

Leonard Ornstein                    Amsterdam, maart 2012

De jonge Fortuyn, 1948-1972

# PROLOOG
## *De kleine dandy*

De beeltenis van peuter Pim, gevangen in een zwart-wit-beeld: een familiefoto uit 1951. De driejarige Pim kijkt stug voor zich uit. Mondje stijf gesloten. Hij lijkt een timide, schuw jongetje. Mollige handjes houden de kinderwagen vast waarin zijn babyzusje Eefke zit. Vader Hein en moeder Toos Fortuyn zien er nog het vrolijkst uit, al lijken ze een beetje geforceerd blij; waarschijnlijk heeft de fotograaf een grapje gemaakt. Het lachje van Marten is het natuurlijkst. Tineke staat er trots bij. Eefke heeft een ernstige blik in haar ogen. Pim staat er wat onopvallend tussen. Oudere broer Marten herinnert zich: 'Pim was een stille, hij was niet druk. Eigenlijk was hij een zeer bedachtzaam jongetje. Geen grapjas, eerder een heel serieus kind. Het was een leuk joch om te zien, zeer zeker. In tegenstelling tot mij was hij niet erg ondernemend.' Zus Tineke ziet in kleuter Pim niet de welbespraakte man van later. 'Pim was niet opvallend, hij was een heel lief en rustig jongetje.' Zelf zei Pim Fortuyn eens dat hij 'een triest jongetje' was, dat hij het gevoel had dat hij niet voor het geluk geboren was. Hij wist al vroeg dat hij daar alleen zelf verandering in kon brengen: door hard te werken, vol overgave en met volledige inzet.

Pim is het derde kind van Toos en Hein; na hem volgen nog drie kinderen. Het dagelijks leven staat vooral in het teken van vaders noeste arbeid. Vader Fortuyn heeft maar liefst twee banen om zijn gezin te kunnen onderhouden: hij is handelsagent in enveloppen en elektricien.

De kleine Pim is een schuchter kind, een katholiek jongetje dat braaf naar zijn ouders en naar de pastoor luistert, een onschuldig, goedgelovig mannetje. Hij doet vlijtig zijn huiswerk, speelt als ieder ander kind en haalt niet echt kattenkwaad uit. Hij ziet zichzelf als het prinsje van zijn moeder en eigent zich een speciale band met haar toe. Hij schrijft: 'Mijn moeder zegt dat ik een prins ben, haar prinsje.' Die bewering wekte later nogal wat irritatie bij zijn broers, die natuurlijk ook moeders prinsje wilden zijn. Ze ontkenden later ook dat Pim dat zou zijn geweest. Zus Tineke is daarover heel beslist: 'Mijn moeder was een nuchtere vrouw. Dat hij haar prinsje zou zijn geweest, heb ik nooit meegekregen.' Moeders prinsje of niet, Pim heeft altijd een heel goede, intense band met haar gehad.

Pim cultiveert die band met zijn moeder en maakt tot haar dood toe zelfs geld over op haar rekening; daar mag ze mee doen wat ze wil. Hij houdt zielsveel van haar en draagt haar op handen. En moeder Toos kent haar pappenheimer door en door. Zij waarschuwt Pim zijn leven lang, of in feite verbiedt ze het hem zelfs, om de politiek in te gaan. 'Mijn moeder heeft altijd een soort Kennedy-achtig idee van mij gehad. Ze was bang dat ik overhoop zou worden geschoten. Nu ik in de politiek ga, ben ik blij dat ze er niet meer is. Ze zou het daar moeilijk mee hebben gehad.'[1] Ze voorvoelt dat zijn scherpte, zijn directheid en zijn felle toon heftige reacties kunnen losmaken. En Pim houdt zich gedeisd zolang zijn moeder leeft, want hij voelt ook wel aan dat hij krachten kan oproepen die niet meer beheersbaar zijn.

Op een foto uit 1958 staat hij met veel meer vastberadenheid: de tienjarige Pim kijkt een stuk vrolijker en zelfbewuster uit zijn ogen dan zeven jaar eerder. Hij poseert echt voor de fotograaf (waarschijnlijk zijn vader) in een nieuwe pantalon met jasje. Zijn ogen hebben iets brutaals, iets uitdagends. Je ziet de latere Pim er al doorheen schemeren. Zijn op de groei gemaakte beige colbertje steekt af bij de donkere broek. Mooie, glimmende lakschoentjes zijn zichtbaar. Zijn stropdas is perfect symmetrisch gestrikt, zijn haar zit in een keurige scheiding. Pim is een kleine dandy geworden. 'Het was een leuk joch om te zien, dat zeker. Moeder maakte heel mooie pakjes voor hem,' herinnert Marten zich. Op de foto kijkt Pim de fotograaf indringend aan, alsof hij wil zeggen: 'Wacht maar, ik kom eraan.' Al zou dat moment nog veertig jaar op zich laten wachten.

Veertig jaar later, eind jaren negentig. In een stapeltje nagelaten faxen aan een paar intieme vrienden duikt deze op, van 15 augustus 1999, geschreven aan goede vriend Jan 't Hooft:

*Lieve man, (...) Gisteren bij mijn ouders op bezoek geweest die volgens mijn tovenares nog dit kalenderjaar kort na elkaar zullen overlijden. Het zag er nog niet erg naar uit.*
*Het nieuwste thema van onderling gekissebis is nu wie het eerst zal gaan. Mijn moeder is ervan overtuigd en vast van*

*plan om na mijn vader te gaan. Haar laatste strijd die ze*
*wil bekronen met een overwinning. Ze voegde me in dat*
*kader toe altijd een kreng geweest te zijn en dat te blijven*
*tot het bittere einde. (...) Er zit zo'n enorme woede in haar,*
*waarvan je af en toe een glimp opvangt. Na afloop ben ik*
*er toch danig gedeprimeerd van. Ging betrekkelijk opge-*
*wekt er op af en kom er down vandaan. Alles speelt dan*
*op, met name die ongelukkige, ongeborgen en uitzichtloze*
*jonge jaren van mij. Het is net alsof het gisteren is gebeurd.*
*Allerlei beelden en situaties keren terug van een ongelofelij-*
*ke helderheid en directheid. Zeer gedetailleerd ook. Ik zit*
*voortdurend in de bioscoop van mijn verleden. (...) En zo*
*kabbelt zo'n zondagmiddag voort en verzucht ik, ik zou*
*wel weer eens groots en meeslepend willen leven, drama,*
*spanning etc.*

Zijn moeder wordt in datzelfde jaar nog ziek. Ze krijgt
een bult op haar hoofd, veroorzaakt door een kwaadaar-
dige tumor. Het ziet er voor anderen beangstigend uit en
daar lijdt ze onder. Ze ziet die bult als een straf van God
omdat ze altijd een hekel aan lelijke mensen heeft gehad.

Pim is intens verdrietig. Op 12 oktober 1999 volgt weer
een fax aan Jan 't Hooft:

*Mijn moeder heeft nu ook een abces in haar hals in de*
*buurt van haar luchtpijp. Dat abces kan op den duur die*
*pijp dicht drukken. Hangt af van snelheid en richting van*
*groei. Valt niets over te voorspellen. Het kan maanden du-*
*ren, maar ook binnen een aantal uren raak zijn. Ze wil niet*
*stikken en dat is haar beloofd. (...) Haar geestkracht en vi-*
*taliteit zijn echter nog ongeschonden. Ze kookt nog iedere*

dag drie à vijf gangen en is daar de hele dag mee zoet. Ik
ben er constant mee bezig en ook 's nachts slaap ik niet
rustig, alert op de telefoon als ik ben. Maar ja, dat alles is
niets vergeleken bij wat zij moet verstouwen.

In zijn politieke pamflet *De puinhopen van acht jaar Paars*[2]
beschrijft Pim het einde van zijn moeder:

*Eenmaal beseffend en aanvaardend dat er geen andere op-
lossing meer voorhanden was dan het verzorgingstehuis
heeft zij haar doodgaan bespoedigd door niet meer te eten
en na enige weken niet meer te drinken. Na een vijftal weken en na ons nog heel veel liefde te hebben geschonken, is
zij in vrede en met volle overgave als een dame gestorven.
Toen ik haar bijna 85 jaar oud, 's morgens om precies zeven uur op de eerste dag van de lente in het jaar 2000 dood
in mijn armen hield – zij wilde nog zo graag een lente aan-
schouwen en dat is haar gelukt – zei de Joegoslavische ver-
pleegster die erbij was in het mooiste Duitse accent: 'Er is
een dame gestorven.' En zo was het maar net, twee korte
zuchtjes van haar en wat bloed, en er daalde een grote stilte
en leegte over haar en mij neer. De dood was van links gekomen, en streek zijn hand van links naar rechts over haar
gezicht. De stilte was het mysterie van de dood, maar ook o
zo vredig, de ontspannen glimlach rond haar mond. Vanaf
nu ben ik een weeskind en zal ik het moeten doen zonder de
enige volstrekt onvoorwaardelijke liefde die in het leven bestaat en dat is de moederliefde, zo besefte ik.*

Uiteindelijk was vader Hein dus degene die overbleef.
Hij overleed niet lang voor Pims dood in maart 2002.

Toos' begrafenis was een gedenkwaardige gebeurtenis. Pim was zeer terneergeslagen, maar verscheen geheel in stijl: in jacquet en met hoge hoed.

De dood van zijn moeder is ook een keerpunt. Vanaf dat moment kan niemand Pim meer tegenhouden om de politieke arena in te stappen. Algauw heeft hij zijn plek gevonden. Op 20 augustus 2001 maakt hij in het televisieprogramma *Een Vandaag* bekend de politiek in te zullen gaan voor óf – zoals hij het noemt – Lijst Fortuyn óf het CDA óf Leefbaar Nederland. Hij maakt zijn keus snel, want niet veel later wordt bekend dat hij lijsttrekker wil worden van Leefbaar Nederland. Tot 6 mei 2002 even na zessen zal Pim Fortuyn een geheel eigen kleur aan de Nederlandse politiek geven. Vlak voor zijn dood zegt hij nog: 'Het is mijn grote angst dat er voor de verkiezingen mij wat overkomt. Maar ik zie dit als mijn opdracht. Dit moet ik doen. Ik wist zelf niet dat ik zo sterk was om hier aan te beginnen. Maar ik laat mij niet klein krijgen.'[3]

Zijn dood blijft zeker niet onopgemerkt. Hij sterft in het epicentrum van de radio- en tv-studio's, het Mediapark in Hilversum, ruim 54 jaar nadat zijn leven op een koude winterdag begon.

# 1.

# Kinderjaren in Velsen en Driehuis, 1948-1960

## Een 'wilde' bevalling

In een Velsens bovenhuis aan het Noordzeekanaal ligt Toos Fortuyn in het kraambed. Naast haar staat een wat slaperige vroedvrouw. Ze heeft er een lange dag op zitten en wil naar huis. Om de bevalling te bespoedigen geeft de vroedvrouw de hoogzwangere weeën opwekkende injecties, waarna de baby onverwacht snel ter wereld komt. De donderdag is pas vijfentwintig minuten oud als op 19 februari 1948 Wilhelmus Simon Petrus Fortuyn wordt geboren.[4] De vroedvrouw schrikt als ze ziet dat de baby blauw is aangelopen; eigenlijk was de bevalling veel te gehaast begonnen. Pim gaat – volgens de overlevering – pas huilen na 'een paar venijnige tikken op de billen' door de vroedvrouw. Niemand had verwacht dat de baby zich die avond al zou aandienen. Vader Hein gaat zelfs naar de verjaardag van zijn schoonzus en vraagt een buurman[5] om die avond een paar uurtjes bij Toos te blijven. Uiteindelijk is Hein nog net op tijd bij de geboorte van zijn zoon. 'Ik werd 's ochtends wakker en toen was hij er,' herinnert zus Tineke zich.

Een thuisbevalling is in die dagen normaal. Later, bij de

geboorte van haar andere kinderen, gaat Toos liever naar de kraamafdeling van het vertrouwde katholieke St. Anthoniusziekenhuis aan de Zeeweg in IJmuiden – een klein ziekenhuis waar mannen en vrouwen nog strikt gescheiden liggen en waar de zusters franciscanen de scepter zwaaien.[6]

Pims vader en moeder zijn bij zijn geboorte allebei 33 jaar. Hun gezin bestaat behalve uit baby Pim nog uit dochter Tineke van 9 en zoon Marten van 5. Pims geboortedag is een koude dag; het vriest vier graden. Aan de hemel staat een mooie winterzon, maar op de ramen staan ijsbloemen. De kachel aan de Stationsweg 105-rood maakt overuren ('rood' staat voor 'bovenhuis'). Vanuit hun huis hebben de Fortuyns een fascinerend uitzicht op de hoogovens, de spoorbrug en papierfabriek Van Gelder. Het rangeerterrein lag vlakbij. Er reden nog geregeld stoomlocomotieven. Het was een weinig tot de verbeelding sprekend huis met een plat dak. Marten vertelt: 'Het was een enorme slechte woning. We hebben vele lekkages gehad. En als het een beetje stormde in Velsen, dan blies de wind door de kieren onder de ramen door. Aan de voorkant in de huiskamer stond een kolenkachel, waardoor het daar nog uit te houden was, achter verging je van de kou. In de keuken zette moeder de oven open zodat we het een beetje konden uithouden.'

De geboorte van Pim markeert de nieuwe start die de Fortuyns in Velsen maken. Na vijf zware oorlogsjaren en een verhuizing vanuit de Zaanstreek beginnen ze aan hun eigen wederopbouw.

Pims vader Hein handelt in papier en enveloppen, dus hij kan een mooi, idyllisch en goed katholiek geboortekaartje regelen.[7] Pims tante Tiny heeft het kaartje al die jaren zorgvuldig bewaard. Daardoor weten we dat er een wiegje – met in de top het kruis van Christus – op is getekend; een klein zusje en een nog kleiner broertje turen over de rand naar hun pasgeboren broertje. De tekst luidt: 'Met grote dankbaarheid aan God geven wij kennis van de geboorte van onze zoon en broertje Pim.' Op het geboortekaartje staan de namen van zus Tineke en broer Marten, en daaronder die van vader Hein en moeder Toos. Hij wordt al meteen 'Pim' genoemd, maar dat is niet zijn officiële naam. Statig staat er op het kaartje: 'Bij het Heilig Doopsel ontving hij de namen van Wilhelmus Simon Petrus.'

Kleine Pim is rooms-katholiek en dat moet de buitenwereld weten. Zijn doop vindt plaats in de heilige Laurentiuskerk van Brindisi in IJmuiden. Peter en meter zijn Willem en Maria de Wijer-De Haan, broer en schoonzus van Pims moeder Toos.[8] In die tijd wordt de Laurentiuskerk bestuurd door de paters van de Orde der Minderbroeders Kapucijnen, die nog in een bruine pij met wit koord gekleed zijn en met blote voeten in sandalen lopen.

De plechtige naam Wilhelmus geeft Pim meteen iets betoverends. Ook in het gezin, want niemand van de broers en zussen heeft een dergelijk excentrieke voornaam. Dit derde kind heeft iets wat de anderen niet hebben, maar hij is dan ook de eerstgeborene na de bevrijding. Pim is trots op zijn naam en doet er op zeker moment zelfs nog een schep bovenop: hij noemt zichzelf het liefst 'Prins Willem' en zet die eretitel zelfs boven de door hem geschreven – nooit gepubliceerde – kleine biografie *De geboorte van Prins Willem*.[9] Pims tweede en derde naam zijn afkomstig van zijn grootvader van vaderskant.

'Fortuyn' is de schrijfwijze van Pims familienaam, maar eigenlijk klopt dat niet. Bij de burgerlijke stand is de familie namelijk geregistreerd als Fortuijn. Door de eeuwen heen is de naam op verschillende manieren geschreven: Fortuin, Fortuijn, Fortuyn en zelfs Vortuin.[10] Hoe de schrijfwijze Fortuyn ooit is ontstaan, is niet bekend. Op zijn geboortebewijs staat Fortuijn, en in zijn latere leven komen belastingaanslagen altijd op die naam binnen. Ook zijn rijbewijs en paspoort vermelden Fortuijn.[11] Ooit heeft hij nog geprobeerd langs juridische weg zijn naam officieel te veranderen, maar dat voornemen strandde op hoge kosten en bureaucratie. Pim speelt tijdens zijn leven met zijn naam als een acteur die zijn personages aanpast. Met de schrijfwijze Fortuyn kan hij zich deftiger voordoen dan hij is en hij beweert soms zelfs dat hij behoort tot de Rotterdamse patriciërsfamilie Drooglever Fortuyn te zijn, al komt die naam nergens in zijn stamboom voor.

## Boter, kaas en eieren: de voorgeschiedenis van de Fortuijns

Hollandser kan haast niet: de Fortuijns zaten generaties lang in de zuivel. Het was een geslacht van eierhandelaren met koopmansgeest in de Zaanstreek. Ze waren rechtdoorzee, namen geen blad voor de mond. Van Pims grootvader Simon Petrus Fortuijn (1887-1962) bestaat een foto, waarop hij op de bok van een door een paard getrokken wagen zit, zweep en sigaret in de hand, de kar volgeladen met eierdozen. *De Typhoon*[12] wijdde ooit een groot artikel aan de eierhandel van Pims grootvader; hij was de eerste Fortuyn die zich vanuit de Zaanstreek op Kennemerland oriënteerde.

De vader van Pim, Hein, maakt het bedrijf nog in volle bloei mee: 'Als ik 's avonds in bed lag en ik hoorde dan de handwagens eieren naar het pakhuis brengen, dan smolt mijn jongenshart van trots. Mijn vader ging met paard en wagen naar in Beverwijk, Oud-Velsen, IJmuiden en Santpoort gevestigde klanten. In de schoolvakantie ging ik graag mee.'[13]

Opa Simon is een hartstochtelijk spreker die erom bekendstaat lak te hebben aan gezagsverhoudingen. Hij gedraagt zich soms als een olifant in een porseleinkast; zo dringt hij bijvoorbeeld vaak voor in de wachtrij voor de biechthokjes. In zijn vrije tijd zit hij bij de vrijwillige brandweer.[14]

Tot begin negentiende eeuw zijn de Fortuijns protestant. Ze worden katholiek door hun voorvader Thijs Jan Fortuijn. Hij trouwt in 1823 met de katholieke Marijtje Zomer. Thijs Fortuijn is dan al twee keer getrouwd geweest met gereformeerde vrouwen, maar beiden stierven jong. Door zijn huwelijk met Marijtje wordt het gezin dus uiteindelijk katholiek.

Eigenlijk is Pim in de voetsporen getreden van zijn politiek actieve overgrootvader Hein Fortuijn (1855-1920), eveneens eierhandelaar, al hebben ze elkaar natuurlijk niet gekend. Deze Hein is een markante man, die in 1911 meedoet aan de raadsverkiezingen van Wormerveer. Het bulletin *De Zaanstreek* meldt: 'Verkiezing gemeenteraad, H. Fortuijn 191 stemmen,' maar dat zijn er te weinig: hij wordt niet gekozen.[15]

Behalve politiek actief is deze overgrootvader ook actief in 'de kerk'. Hein Fortuijn is secretaris van het kerkbestuur en in die functie lukt het hem om de plannen voor de bouw van de kerk en de school door te laten gaan, wat algemeen als een overwinning wordt gezien. Hein is een geziene man in de gemeente, verschillende loftuitingen aan zijn adres zijn bewaard gebleven[16]: 'In moeilijke tijden de financiën van school en kerk beheerd', 'Talrijk zijn de offers die hij in stilte bracht'. Bij zijn dood in 1920 vermeldt het 'In Memoriam': 'Op alle gebied van het katholiek leven gaf hij zijn volle persoonlijkheid. Als voorzitter der R.K.-Kiesvereniging liet hij zich candideren voor den Gemeenteraad in een tijd, dat het anticlericalisme den Katholieken geen enkelen zetel gunde.' Hij was 'een katholiek van de daad in den vollen zin des woords'.[17]

In 1927 maakt de crisis een abrupt einde aan de eierhandel van de Fortuijns.[18] Daarbij komt ook nog een andere gevoelige tegenslag: het faillissement van de Hanzebank in Krommenie, de bank waar grootvader Simon zijn guldens veilig ondergebracht denkt te hebben. Volgens de familiegeschiedenis heeft grootvader Simon Fortuijn dan ook 'het familiekapitaal verkwanseld'. Pim is daar zeer bedroefd over en legt net als andere familieleden eenzijdig de schuld bij zijn grootvader. Over zijn grootvader zegt Pim dan ook: 'Die man was totaal ongeschikt om een familiebedrijf te runnen.' Volgens Pim is een van de problemen waar zijn grootvader mee te maken kreeg, de gouden standaard uit de jaren dertig: 'De gulden werd duur, het pond devalueerde.' Daardoor raakt de handel met Engeland in het slop. Maar volgens Pim raakt zijn opa ook aan de drank: 'Opa's bedrijf is niet failliet gegaan, maar het zat er wel tegenaan. Opa liet het midden jaren dertig afweten.' Pim is ervan overtuigd dat dankzij de inzet van zijn eigen vader het definitieve faillissement kon worden afgewend.

Maar de werkelijkheid is veelkleuriger. Het is maar de vraag of de ondergang van het familiebedrijf grootvader zo mag worden aangewreven. Zeer waarschijnlijk is het verlies van het familiekapitaal te wijten aan een combinatie van factoren en komt het niet alleen door een zwak financieel management van grootvader. Een meer prozaïsche tegenslag was bijvoorbeeld de grote brand die in de opslagputten met kalk woedde, waardoor een enorme voorraad eieren verloren ging. Een andere belangrijke en al genoemde reden is de keuze van de familie Fortuijn om het familiekapitaal in de Hanzebank te stoppen. Dat is geen toeval, want de katholieken werden vanaf 1909 opgeroepen om juist bij deze bank geld in te leggen: 'Roomsch geld moet komen bij Roomsche instellingen, omdat men ervan overtuigd moet zijn, dat met dit geld geen instellingen of zaken worden geholpen of gefinancierd die in strijd zijn met onze Roomsche belangen. Daarom: steunt Uw Roomsche belangen.'[19] Volgens financieel deskundigen uit die tijd blijkt na het failliet van de bank dat 'hun katholieke propaganda onverantwoordelijk-lichtzinnig is gevoerd'.[20]

Het ligt zeer voor de hand dat de streng katholieke Simon Fortuijn naar de boodschap van de clerus heeft geluisterd. In het strikt verzuilde Nederland hadden hij en zijn voorvaderen ook niet veel keus. Het – zeker voor die tijd – grootschalige familiebedrijf wordt in 1930 opgeheven. Het bedrijf bestaat dan net vijftig jaar. Tot begin jaren zestig blijft grootvader Fortuyn met een handkar zijn eieren verkopen aan bakkerijen in Wormerveer en omstreken. Naarmate de jaren verstrijken, verwordt Pims opa tot een triest mannetje dat troost zoekt in de alcohol. Tineke: 'Mijn opa was geen vrolijk mens. Hij was eigenlijk een dominante persoonlijkheid, maar gedesillusioneerd door het bijna-faillissement.' Marten: 'Ik moest altijd erg lachen om onze opa, die allerlei trucs had verzonnen om aan zijn borreltjes te komen.' Opa is het meest gesteld op Marten, die hij 'een robuust, mannelijk' jongetje vindt; Pim vindt hij maar 'een zacht jongetje, een mietje'.

## De oorlog, altijd maar weer de oorlog

Als Pim klein is, staat de wereld aan het begin van de Koude Oorlog. De wereld is in de eerste maanden van 1948 volop in beweging. De naweeën van de Tweede Wereldoorlog zijn goed voelbaar en die oorlog zal de zo kort na de bevrijding geboren generatie decennialang niet meer loslaten. Nederland is bevrijd, maar Pim wordt geboren in een wereld waarin vrijheid wereldwijd allerminst een vanzelfsprekendheid is. Angst voor 'het rode gevaar', het communisme, is te lezen in krantenartikelen uit die periode. In Tsjecho-Slowakije nemen de communisten de macht over, de VS overwegen militair ingrijpen in Griekenland.

En dat gevoel van onvrijheid is er niet alleen buiten, maar ook binnen de landsgrenzen. Er is vrijheid van meningsuiting, maar slechts tot op zekere hoogte. Zo verbiedt in Amsterdam burgemeester d'Ailly de opvoering van Slauerhoffs *Jan Pieterszoon Coen*[21] vanwege de politieke gevoeligheid van de oorlog in Indonesië. De eerste politionele actie was net achter de rug, de tweede staat eraan te komen. Gevreesd wordt dat het 'ploertige toneelstuk' (zoals de autoriteiten het zien) de gemoederen zal verhitten en de 'nationale orde' zal bedreigen. Nederland is een gesloten land. Censuur is misschien een groot woord, maar het zit er dicht tegenaan. Het toneelstuk zou nota bene voor de gala-avond van het Boekenbal worden opgevoerd, ook toen al een verzamelplaats van vrijzinnigheid, avant-gardisme en excentrieke schrijvers.

In 1948 kan lang niet alles vrijuit gezegd worden, zeker niet bij links Nederland. De verhouding tussen sociaaldemocraten en communisten is slecht. Op 25 februari spreekt sociaaldemocraat Koos Suurhoff in aanwezigheid van veel CPN'ers een dappere rede uit bij de herdenking van de Februaristaking. Communisten, die in die dagen van oorlogswinnaar Stalin een heilige hadden gemaakt, zijn woest: de PvdA-voorman heeft Stalin met Hitler vergeleken. Binnen de afzonderlijke zuilen, partijen en politieke bewegingen is er weinig tot geen debat, laat staan dat er aan introspectie van de eigen principes en uitgangspunten wordt gedaan. En gebeurt dat onverhoopt toch, zoals bij de controverses binnen de PvdA over Indonesië, dan lopen de gemoederen hoog op.

En het Velsen waar de wieg van Pim staat? Het heeft in 1948 nog altijd zwaar te lijden onder de gevolgen van de oorlog. IJmuiden maakte deel uit van de *Atlantikwall*, een lange verdedigingslinie die de Duitsers tijdens de Tweede Wereldoorlog aanlegden ter voorkoming van een geallieerde invasie. Het strategisch gelegen stadje komt zwaar gehavend uit de Tweede Wereldoorlog en is daarmee vergelijkbaar met Rotterdam, Pim Fortuyns latere woonplaats. Een groot deel van het oude IJmuiden wordt aan het begin van de Tweede Wereldoorlog weggevaagd. Door bombardementen en door gedwongen afbraak op bevel van de Duitsers worden bijna vierduizend woningen afgebroken van de bijna dertienduizend die er in 1940 stonden. Tien kerken sneuvelen. Veel huizen zijn lange tijd ruïnes, waar kinderen graag vertoeven. De haven is veranderd in een troosteloze puinhoop: installaties, hijskranen en reparatiewerven zijn gebombardeerd. Het gewone leven komt in 1948 maar langzaam weer op gang.

Velsen is – zoals Pim het zelf beschreef – 'een plaatsje waar het altijd waait. Een enkele keer uit het oosten, 's zomers als de zon verzengend aan een strakblauwe hemel staat, in de winter als het helder vriesweer is. Maar meestal komt hij [de wind, L.O.] van de andere kant, uit het zuidwesten met vuil grauwe wolken en regen of met stormend geweld uit het noordwesten.' Velsen ligt in de schaduw van Amsterdam, onder de rook van de Hoogovens. Het havenstadje aan de monding van het Noordzeekanaal is een doorsnee Hollands plaatsje: een groot vissersdorp waar in de loop der jaren steeds grotere zeeschepen door de sluizen komen, een dorp dat langzaam een stadje is geworden. Scheepsberichten zijn belangrijk voor de bevolking; zo staat op de dag van Fortuyns geboorte in de *IJmuider Courant* onder andere: 'De stoomtrawler Sumatra IJmuiden 62 is uitgevaren. Evenals de motortrawler Antje en de Cornelis IJmuiden 15.'[22]

IJmuiden is in 1948 nauwelijks honderd jaar oud. Er heerst een wat rauw sociaal klimaat als gevolg van het feit dat mensen uit alle windstreken zich er vestigden. Dat begint in de negentiende eeuw bij de aanleg van het Noordzeekanaal. De visafslag die IJmuiden dan krijgt, trekt vissers uit het hele land naar het plaatsje en zorgt voor een handelsmentaliteit met stevige omgangsvormen. 'Al die IJmuidenaren, die altijd recht voor hun raap zeggen waar het op staat,' noteerde de *IJmuider Courant* in een historische beschrijving van de stad.[23]

Pims ouders komen na de oorlog vanuit de Zaanstreek naar de ruige IJmond, waar ze op 20 oktober 1945 hun intrek nemen in het huis aan de Stationsweg in Velsen-Zuid. Het beroep van Pims vader, Hendrik Casper Fortuijn, is officieel elektricien.[24] Hij werkt bij de BPM, de Bataafsche Petroleum Maatschappij. Maar dat doet hij 's nachts en hij kan er niet van rondkomen. Om zijn jonge gezin te kunnen onderhouden, werkt hij daarom overdag als handelsagent. Om die reden heeft hij als een van de weinigen in de straat een auto, om precies te zijn een Ford Taunus, en daar is Pim apetrots op. Zijn vriendje mag vaak meerijden. Pims jeugdvriend, Eelco Graafsma, ziet zichzelf, vader Hein en Pim nog in die auto zitten: 'Hij schreef orderbonnen aan klanten die hij 's avonds laat ging posten in Haarlem. Dan gingen we van Driehuis naar Haarlem op en neer. In een auto zitten was in die tijd iets heel bijzonders, want bijna niemand had er een.'

Pims broer Marten herinnert zich hoe hij met zijn vader door Noord-Holland op pad ging voor zijn werk als elektricien. Vader had een leren riem om zijn buik, een gereedschapszak op zijn rug en dan klom hij naar boven om met draden de ene met de andere paal te verbinden. 'Soms klom ik op de rug van mijn vader en ging ik mee naar boven toe.' Het was loodzwaar werk.

Na een aantal jaren stopt Pims vader bij BPM en stort zich volledig op zijn werk als handelsagent bij de Papiergroothandel en Enveloppenfabriek P. Vlaar & Zonen BV. De Vlaars zijn familie van de Fortuyns. Hein is er terecht gekomen omdat een zoon van eigenaar Vlaar getrouwd is met de zus van Hein. Pims broer Marten herinnert zich: 'Vader maakte heel lange dagen. Als hij thuiskwam, ging hij snel eten, orders uitschrijven en post naar de trein brengen.' Pim noteert later over zijn vader: 'Het hing er van af of mijn vader goed verkocht hoe de economische situatie thuis was.' Pim kwalificeert het gezin waar hij uit komt als een 'middenstandsfamilie', maar hij gaat er altijd prat op dat zijn vader eigenlijk uit een 'gegoede familie' komt die door de crisis van de jaren dertig geruïneerd is.

De jonge Pim groeit op in dat volkse vissers- en arbeidersstadje. 'Ik was een kind van de haven, de duinen en het strand,' zegt hij zelf. Vóór zijn ouderlijk huis stond de machtige spoordraaibrug van het Noordzeekanaal.[25] De brug werd alleen gedraaid als er grote zeeschepen naar Amsterdam voeren of als ze de Noordzee op moesten. Pim: 'Ik zag stoomboten op het Noordzeekanaal, een heel interessante plek voor jongetjes om te wonen.'[26] De magie van de zee spreekt tot de verbeelding. Bij Pim ontstaat er een diep verlangen om de wereldzeeën op te gaan, maar dat verlangen wordt net zomin als bij veel andere Velsense jongens nooit vervuld. Maar het geeft ruimte aan veel fantasie. En het water is hun speelterrein, of ze nu wel of niet een officieel zwemdiploma hebben. Jongens springen en duiken van de brug in het kanaal – levensgevaarlijk, maar het wordt heel normaal gevonden.

IJmuiden wordt pas als een van de laatste Nederlandse steden door de Amerikanen bevrijd, na vijf zware oorlogsjaren. De Duitsers hebben in de oorlog een omvangrijk bunkercomplex (bijna duizend bunkers!) gebouwd als onderdeel van de *Atlantikwall*, bedoeld als opslagplaatsen en als depots van munitie. In 1944 wordt het bunkercomplex door 350 geallieerde vliegtuigen gebombardeerd; 600 ton bommen wordt op IJmuiden geworpen. Een aderlating voor de stad, maar voor naoorlogse, avontuurlijk aangelegde kinderen zijn al die rommelige terreinen een eldorado om te spelen.

Ook in de haven zijn in de oorlog enorme bunkers gebouwd om *Schnellboten* van de Kriegsmarine te stationeren. Sommige worden na de oorlog vol zand gestort, andere worden provisorisch dichtgemetseld. Veel bunkers zijn zelfs tientallen jaren na de oorlog nog steeds niet afgebroken. Tot in de jaren zestig zijn er mensen die delen van de bunkers tot vakantiewoning ombouwen.

De bunkers zijn het speelterrein van Pim Fortuyn en zijn vriendjes. Nogal wat kinderen verliezen het leven of ledematen doordat ze met bommen en granaten – achtergelaten souvenirs van de nazi's – spelen die daar zijn achtergelaten. Eelco Graafsma herinnert zich: 'In de hoogste klassen van de lagere school heb ik veel met Pim in de duinen gespeeld. Met name aan de kant van Driehuis en Midden-Heerenduinen. Daar waren veel bunkers en tot aan Santpoort waren zelfs tankgrachten. De duinen lagen vol met munitie van de oorlog. Het was er levensgevaarlijk maar het had grote aantrekkingskracht op jongens.' Pim zelf zegt er in *Babyboomers* het volgende over: 'De bunkers waren weliswaar dichtgemetseld, maar door ons met vereende krachten weer opengebroken. In die bunkers trof je van alles aan, van munitie – dikwijls niet meer dan lege patroonhulzen – tot wandschilderingen in de deels onderaardse verblijven voor de manschappen. We gingen zo'n bunker binnen met een kaars of een zaklantaarn en speelden dan onze eigen oorlogjes. Een enkele keer ging het mis en raakte een vriendje gewond door nog scherpe munitie. Je had altijd waaghalzen die patroonhulzen met een hamer of schroevendraaier te lijf gingen, en dat kon een oog of een paar vingers kosten.'

Overigens zijn de 'stoere' verhalen van Pim in *Babyboomers* volgens broer Marten 'fantasie' en 'gelogen'. Hij verwijst Pims notities in de autobiografie naar het land der fabelen. Marten Fortuyn: 'Pim probeerde zich achteraf in *Babyboomers* stoerder voor te doen dan hij in werkelijkheid was. Pim was eigenlijk een mietje.'

Behalve springen van de draaibrug en spelen met achtergelaten bommen en granaten werden er meer risicovolle spelletjes in IJmuiden ondernomen. Er zijn bijvoorbeeld geregeld grote vechtpartijen tussen groepen jongens, buurt tegen buurt en straat tegen straat. Broer Marten was naar eigen zeggen in die dagen betrokken bij bendegevechten. Die stopten pas toen bij een straatgevecht een twaalfjarige jongen werd doodgestoken. Ook het strand is niet zonder risico's. Doordat de lange, oude

Zuidpier tot ver in zee loopt, wordt het water soms onverwacht woest. Pim schrijft: 'Wij kenden de zee en wisten hoe verraderlijk ze kon zijn. Hoe je ineens door een stroom kon worden gegrepen en meegesleurd worden, de zee in.'

Veel kinderen uit Velsen leren zwemmen in het woelige Noordzeekanaal, want geld voor zwemles is er vaak niet. De meesten zwemmen 'op zijn hondjes' en ze hebben lang de illusie dat ze het goed kunnen. Pas als Pim twaalf jaar is haalt hij zijn 'zwemproef', en later haalt hij ook nog een oorkonde als 'geoefend zwemmer'.

IJmuiden is een van de grootste industriebolwerken van Nederland: de machtige Hoogovens en de al even imposante papierfabriek van Van Gelder liggen naast elkaar. IJmuiden is een arbeidersbolwerk. Het stadje wordt na de oorlog rechttoe rechtaan herbouwd met moderne, fantasieloze, grijze woningen. Maar dankzij de vissershaven, de duinen, de brede straten en de ruim opgezette pleinen heeft het plaatsje wel iets. IJmuiden is 'mooi van lelijkheid', zeggen IJmuidenaren liefdevol over hun stad.

De eerste verkiezingen na de Tweede Wereldoorlog geven links in Velsen veel macht. De gemeenteraadsverkiezingen van 1948 maken van de PvdA de grootste fractie met negen zetels en de CPN krijgt er zeven. Dan pas volgen de KVP met zeven en de CHU/ARP-combinatie met zes zetels. Pim groeit kortom op in een rooie gemeente,[27] al merkt hij daar niet zo veel van.

In de geesten van veel Nederlanders smeult de oorlog nog na. Zo ook bij de Fortuyns. Pim zegt vaak dat hij met 'de oorlog' is opgevoed: 'De oorlog was er altijd.' Ook later in zijn leven blijft de oorlog een belangrijk referentiepunt voor hem, hij staat vaak stil bij wat zijn vader en moeder in de jaren 1940 tot 1945 hebben beleefd. Pim: 'Het leek wel altijd oorlog. Thuis en op school werd er de hele tijd over gesproken. Oorlog, altijd maar oorlog, op school, op straat en in huis. Altijd de Duitsers of de Russen. Altijd is er de vijand. Maar oorlog is ook spannend. Dan mag je schieten en inbreken.' Vaak rakelt Pim het verhaal van zijn moeder op die onder een kogelregen kolen heeft staan scheppen bij een spoorwegemplacement in Wormerveer. In de oorlog worden op het rangeerterrein kolen gemorst en vrouwen verzamelen die om thuis de kachel een beetje te kunnen laten branden. Als de Duitsers de vrouwen opmerken, volgt er een regen van kogels, maar de vrouwen gaan desondanks door met scheppen.

Terwijl moeder Toos het grootste deel van de oorlogsjaren de zorg voor de kinderen op zich neemt, is vader Hein in de oorlog als dienstplichtige ingedeeld bij de verdediging van het vliegveld Valkenburg. Pim is kritisch over de rol van zijn vader in de Tweede Wereldoorlog. Hein Fortuyn ontkomt aan de arbeidsinzet door aan het werk te gaan bij de bouw van bunkers en tankgrachten. Volgens Pim verzoeken leden van het verzet zijn vader om te stoppen met de bunkerbouw en het graven van tankgrachten. Hein Fortuyn levert hand- en spandiensten aan de Duitsers. Het gezin woont enige tijd in een chic, geconfisqueerd notarishuis in Voorburg. Na de capitulatie keren ze terug naar Wormerveer. Pim beweert dat zijn vader zich na de oorlog moet verantwoorden voor een klein vergrijp (opstoken van planken uit een schuurtje), maar dat het niet tot een veroordeling komt.

Broer Marten bestrijdt de lezing van Pim over zijn vader. 'Mijn vader is geen held geweest. Hij was bang voor de Duitsers. Hij is laf geweest. Het is mijn moeder geweest die op een fiets met houten banden Noord-Holland is ingegaan om eten voor het gezin bij elkaar te sprokkelen. Maar dat mijn vader zich zou moeten verantwoorden voor de bijzondere rechtspleging is onzin. Anders had ik daar zeker over gehoord.'

## De jonge jaren van Hein en Toos, Pims ouders

In de crisisjaren zijn Pims ouders nog jong. Vader Hein is geïnspireerd door het ondernemerschap. In een brief schrijft hij: 'Mogelijk door mijn voorgeslacht van kooplieden had ik al zeer jong belangstelling voor de handel.'[28] Hij gaat vaak mee als hulpje en werkt later ook nog twee jaar in de zaak van zijn vader. Hij komt uit een gezin van acht kinderen. Pim vertelt later: 'In dat milieu werd door meisjes niet gewerkt, ook niet als het water je tot aan je lippen stond. Dus moest mijn vader aan de slag om zijn familie te onderhouden. Dat heeft jaren zo geduurd. Een vreselijke ellende was het. Het was armoede die niet mocht worden onderkend, naar buiten toe moest de gevel worden opgehouden. Als er iets vermoeiends is, dan is het te zijn wie je niet bent.'

'Een krachtige vrouw,' zo typeert Pim zijn moeder Toos. Al op veertienjarige leeftijd moet ze in een groente- en fruitwinkel in Wijk aan Zee gaan werken. Ze wordt al op jonge leeftijd wees. Toos' vader Marten

(1866-1921), een kleine aannemer gespecialiseerd in timmerwerk, sterft wanneer ze zes jaar is. Toos' moeder Everharda Hendriks (1873-1943) komt om bij een berucht bombardement in de Tweede Wereldoorlog op 17 juli 1943. Op die dag probeert men met bommen uit geallieerde vliegtuigen de Fokkerfabriek aan de Papaverweg in Amsterdam-Noord te raken, die was ingezet bij de Duitse oorlogsvoering. Er vallen ruim tweehonderd doden, met name burgerslachtoffers. De explosieven zijn niet erg succesvol gemikt en vallen op woonwijken, een klooster en een kerk. Een verdwaalde bom komt vol op het huis van Toos' broer Rardus terecht. Rardus staat in de deuropening en wil net zijn vrouw en zijn moeder Everharda waarschuwen, maar het is al te laat: beiden zijn getroffen en op slag dood. Ze waren op het verkeerde moment op de verkeerde plek. Toos heeft haar hele leven veel verdriet van de dood van haar moeder. Ze staat er al op jonge leeftijd alleen voor en volgt haar eigen levenspad. Pim herkent zich in zijn moeder en vindt dat hij erg op haar lijkt: het onverwachte, uitbundige, het uit de pas lopen.

Wellicht verklaart dat waarom Toos bekendstaat als iemand die 'precies deed wat ze zelf wilde'. Pims voorliefde voor mooie kleding krijgt hij ongetwijfeld van zijn moeder mee. Bij Pims geboorte heeft Toos officieel geen beroep, want ze had haar baan moeten opgeven toen ze met Hein trouwde. Daarvóór was ze winkelmeisje geweest bij Bischoff, een winkel voor manufacturen, knopen, garen, banden en lappen stof in IJmuiden. Het lijfblad van Toos is de *Burda*, het blad van de 'modebewuste vrouw'; ze breit en naait veel. Vader Hein zegt dat ze 'begrip voor mode' heeft. Hein: 'Dat was haar ook aan te zien, altijd zeer goed gekleed.'[29] Toos kan tegen een stootje. Zoals die ene keer dat haar kinderen haar op een tandem met een klein motortje zetten en ze niet weet hoe ze moet remmen of stoppen. Ze blijft – tot groot vermaak van haar gezin – net zo lang rondjes rijden tot de benzine op is.

Het is in café De Rustende Jager in Castricum dat Pims ouders 'verkering' krijgen. Ze ontmoeten elkaar daar in 1936 tijdens een dansavond. Vader Hein schrijft later: 'Wat mij betreft was het liefde op het eerste gezicht.'[30] Ze trouwen eerst voor de burgerlijke stand. Het kerkelijk huwelijk vindt vijf dagen later plaats, op 16 augustus 1938, in de Kerk van de heilige Agatha in Beverwijk, en wordt geleid door deken Simons. Het echtpaar betrekt dankzij de royale financiële hulp van moeder Everharda zijn eerste huis in Wormerveer aan de Wandelweg.

De relatie tussen Pims ouders verloopt wat stroef, iets wat al tijdens de verlovingstijd begint. Vader Hein erkent later: 'De verkeringstijd was een periode met moeilijkheden in de relatie, maar zeker ook een leuke tijd.' Hij schrijft de problemen toe aan een andere factor, namelijk het feit dat de beide milieus 'erg verschillend' waren: 'Voor haar was het begin wat moeilijker want ik kwam uit een totaal andere omgeving. En wat erger was: ik was door de situatie thuis eigenlijk straatarm. Dat liep des te meer in de gaten omdat het in haar omgeving financieel beter was gesteld, de mannen in haar omgeving beter gesitueerd waren en er ook zat tussen zaten die haar aardig vonden.' Trots schrijft Hein erbij: 'M'n ijver werd beloond en in 1937 verloofden we ons.' Maar al vanaf het begin is de relatie niet gelijkwaardig; Toos heeft een zeker overwicht op haar echtgenoot. Later gaat het beter met hun relatie, althans volgens Hein: 'We groeiden in genegenheid naar elkaar toe.' Pim noemt later het huwelijk van zijn ouders 'gecompliceerd'. 'Het waren echte *lovers*, maar met alle problemen van dien.'

De eerste jaren van het huwelijk verlopen moeizaam. Hein moet veel moeite doen om Toos te veroveren. Hij is stapeldol op haar, maar zij heeft grote twijfels. Ze is een mooie vrouw en aarzelt of ze wel de goede keuze heeft gemaakt. Pim beschrijft in *Babyboomers* dat zijn moeder eerder haar 'grote liefde' had misgelopen omdat hij protestants was. Dat feit werd in die tijd door haar eigen moeder niet getolereerd. Toos bleef, volgens Pim, achter met 'een gebroken hart'. Het verhaal van Pim is aannemelijk en verklaart deels de moeizame verhouding tussen Toos en Hein.

Als Hein en Toos trouwen, krijgen ze van de pastoor een boekje dat bewaard is gebleven: *Korte onderrichting over het huwelijk*. De opdracht is glashelder in het boekje verwoord: 'Over de plichten der gehuwden. Het eerste en voornaamste doel van het Huwelijk is: kinderen voor God voortbrengen en deze christelijk opvoeden.'[31] Die opdracht wordt uitgevoerd. Hein en Toos leveren nog geen tien maanden na de huwelijksvoltrekking hun eersteling af: dochter Tineke Fortuyn wordt op 20 mei in Wormerveer geboren. Vier jaar later, op 10 mei 1943, volgt Marten Simon; tussen Tineke en Marten heeft Toos een miskraam. De jongste vier kinderen worden in Velsen geboren: Wilhelmus Simon Petrus (Pim, 1948), Everharda Jacoba Maria (Eefke, 1949), Jozef Henricus

Casper (Joos, 1952) en Simon (1954). Het is kortom een vruchtbaar huwelijk waaruit zes kinderen voortkomen. Pim is de enige die zich later tot wetenschapper en intellectueel zal ontwikkelen. Hij wordt volgens eigen zeggen steevast 'de oudste van de vier kleintjes' genoemd.

Als vader Hein later terugkijkt op zijn huwelijk, schrijft hij: 'Jaren met zorgen en inspanning en lange dagen voor het gezin en werk voor de boterham en het vele dat erbij hoort. Moeilijke vooroorlogse jaren: zeer moeilijke bezettingsjaren met grote veiligheidsrisico's en de armoedige eerste jaren na de oorlog in een leeggeroofd en verwoest land. Langzaam ging het beter en de aanzet hiertoe was dat ik als Handelsreiziger in 1947 aan het werk kon. Stapsgewijs ging het beter in huishouding en werk.' Hein toont later zijn vaderlijke trots op zijn kinderen: 'Onze kinderen vallen eigenlijk allemaal onder een en dezelfde noemer. IJverig en ondernemend met verantwoordelijkheidsgevoel voor hun partner en kinderen, ook in hun maatschappelijke functies. Voor ons als ouders zorgzaam en vriendelijk.'[32]

Het valt Pim op hoezeer zijn vader zijn moeder adoreert: 'Mijn vader behandelt mama als een koningin en probeert het haar altijd naar de zin te maken.' Desondanks is zijn moeder vaak afstandelijk tegen zijn vader. Marten ziet zijn moeder in de loop der jaren verharden: 'Mijn moeder is door de jaren heen spijkerhard geworden richting mijn vader. Ze was niet alleen minder gelovig dan mijn vader. Het feit dat ze zes kinderen heeft moeten baren, heeft een enorme rol in haar leven gespeeld. Ze wilde op een gegeven moment geen polonaise meer aan haar lijf en heeft mijn vader het bed uitgejaagd.

Ze sliep zelfs apart van mijn vader.' Tineke over het huwelijk van haar ouders: 'Mijn moeder was een vrij heftige vrouw. Tegen mijn vader ging ze vaak aardig tekeer. Ik herinner me dat mijn vader haar vanwege het geloof voorbehoedsmiddelen had verboden. Toen ze niet lang na de geboorte van Pim ontdekte dat ze weer zwanger was, heeft ze pa met een kinderstoel achterna gezeten.'

Later worden Toos en Hein lid van de Nederlandse Vereniging voor Seksuele Hervorming (NVSH) om hun geboortebeperking beter te kunnen regelen. Dat is opmerkelijk, omdat het katholieken lange tijd verboden was lid te zijn van deze, op een 'open' benadering van seksualiteit gerichte organisatie. Het is zeer waarschijnlijk het werk van de uitgesproken Toos.

## Thuis aan de Stationsweg

Pims ouders voeden hun kinderen op zoals in die tijd gebruikelijk is. 'Het was een harde tijd vol ontberingen, maar ook van saamhorigheid.' De hoofdrol in de maatschappij is voor het gezin Fortuyn nog helemaal voor mannen. Zonen hebben een waarde, dochters een bestemming. Volgens Pim moeten de dochters Fortuyn 'er goed uitzien, een aardig praatje tot hun beschikking hebben en zich voorbereiden op een uitmuntende huwelijkskandidaat'. Dat vindt ook opa Fortuyn, die nog in Wormerveer woont. 'Opa vindt mij geen echte vent, meer een meid en daar moet hij niets van hebben. Meiden zijn meer iets van oma, oma is dol op mij en van haar krijg ik de gulden die ik van opa niet krijg. Dat is niet hetzelfde. Ik wil erbij horen, net als mijn broer, maar ik hoor er niet bij.'

Thuis aan de Stationsweg in Velsen is het passen en meten met de ruimte voor dit kinderrijke gezin op een donker, niet al te groot bovenhuis, bereikbaar via een steile trap. Naast het huis bevindt zich de garage van Van Dijk. Het huis is gemeubileerd met typisch Engelse meubelen. Er staan een dressoir, een theekast en een paar stoelen. Dat klinkt karig, maar Toos staat erom bekend dat ze het huis heel gezellig kan maken. Lange tijd is er nog geen douche; iedereen wast zich in een grote zinken teil. Pim slaapt als kleuter samen met broer Marten in een twijfelaar. Marten vertelt dat Pim graag dicht tegen hem aan ging liggen: 'Ik heb Pim wel eens geslagen omdat hij 's nachts tegen mij aankroop en mij nat piste. Laken nat, matras nat, mijn rug nat. Dat was geen prettige ervaring.' Tussen de kinderen in huize Fortuyn botert het niet altijd even goed. Zo bestaat er tussen Marten en Pim in hun jonge jaren – ondanks een verschil van vijf jaar – rivaliteit.

Een gebeurtenis die veel indruk op het gezin Fortuyn maakt, is een plotselinge ziekte die Pim in 1954 treft. Als klein kind is hij op een dag tijdelijk verlamd door een mysterieus virus. Pim is dan pas zes jaar oud en kan niets meer. Marten: 'Hij wilde 's ochtends zijn bed uit komen, het lukte niet. Hij stond te huilen. Dokter Boosman, zo'n ouderwets patriarchale arts met een grote bos grijs haar, kwam langs. Mijn vader en moeder waren aanvankelijk dodelijk ongerust. Ze waren doodsbang voor kinderverlamming. Boosman stelde ze op hun gemak. "U hoeft zich geen zorgen te maken, maar het gaat zeker een maand of zes duren."' Na enige tijd komt het allemaal wonderwel goed, hoewel de schrik over de plotselinge verlamming Pim zijn hele leven bijblijft.

In het leven van een goed katholiek kind is ter communie gaan een grote gebeurtenis. Dat geldt ook voor de kinderen Fortuyn. Pim doet zijn eerste communie als hij zes is. 'Ik krijg de eerste hostie en denk dat ik daarna heel heilig zal zijn. Ik voel echter niets en ben een beetje teleurgesteld. Na de mis is het thuis groot feest met ooms en tantes, neefjes en nichtjes en natuurlijk cadeaus. We moeten ook op de foto met onze gedoofde communiekaars.' Zus Tineke herinnert zich Pims grote dag nog heel goed: 'Het was een feestelijke dag. Moeder had Pims pakje genaaid. Om tien uur 's ochtends was de mis. Ik zie de kapucijner paters met hun bruine pij en hun blote voeten in sandalen nog voor me. Na de mis kregen de monniken een sigaar.' De jonge Pim treedt ook toe tot het koor van de Engelmunduskerk.

Het gezin verhuist in 1954 naar het aan IJmuiden grenzende plaatsje Driehuis. De huizen aan de kanaalzijde van de Stationsweg, het huis van de Fortuyns en garage Van Dijk – zouden een paar jaar later worden ontruimd en afgebroken vanwege de verbreding van het Noordzeekanaal. De huizen aan de 'stadskant' blijven dan nog gespaard voor de slopershamer. Vader Hein noemt de vestiging in Driehuis 'een mijlpaal'[33]: de Fortuyns gaan in een keurig geschakeld herenhuis wonen, de P.C. Hooftlaan 49. Hij is trots dat ze naar een groter huis verhuizen. En helemaal bijzonder: de woning heeft een voor- en achtertuin. Wat voor hem telt, is dat de buurt beter aangeschreven staat. De Fortuyns lijken echter niet echt welkom in de nieuwe omgeving, herinnert Marten zich:

'Het was een buurt van ambtenaren en notabelen. Je merkte dat de omgeving vond dat wij er niet thuishoorden. De eerste jaren hadden we niet veel contact met de buren.' Driehuis werd in die tijd in de volksmond wel 'Mussertdorp' genoemd, omdat veel geëvacueerde NSB'ers naar het plaatsje verhuisden. Op last van de Duitsers moest de bevolking op 1 december 1942 worden geëvacueerd. Bewoners werden toen over heel Nederland verspreid. Straatnamen die te joods klonken, kregen in de Tweede Wereldoorlog een andere naam. Maar na de oorlog start een nieuw hoofdstuk: in 1956 worden een weg en een spoorviaduct aangelegd; deze ontsluiten Driehuis naar het oosten en verbinden het plaatsje met Santpoort en Haarlem. Ze halen het dorp uit een isolement.

Het leven in Driehuis kent – zoals in veel dorpen in de jaren vijftig – een kalm ritme. Het is er stil en rustig, auto's zijn er nauwelijks, al heeft vader Hein er wel een, omdat hij die nodig heeft voor zijn werk. Leveranciers komen nog aan huis, de schillenboer haalt afval op. De melkkar van Jelle Sneekes komt klepperend door de straat en Simon de Wit heeft een patatwagen getrokken door de paarden Pita en Janny. Ze zijn een begrip in het dorp. Maar het bekendst is het in 1960 gestarte IJspaleis, een voormalige melkhandel die een populaire ijssalon wordt. De ijszaak is een lokale hotspot. Pim en zijn vriendje Eelco Graafsma komen er geregeld. Eelco Graafsma is Pims grote jeugdvriend in Driehuis. Net als Pim woont Eelco eerst in IJmuiden en verhuist hij later naar het aangrenzende dorpje. Ze zitten bij elkaar op de kleuterschool, maar ze zijn dan nog geen vriendjes. Ze

leren elkaar rond 1955 beter kennen in de speeltuin Vrij &
Blij, die vlak bij de kleuterschool ligt. Gedurende de eerste jaren van de lagere school zitten ze bij elkaar in de
klas. Ze wandelen dan samen van huis naar school en elke zaterdagmiddag treffen ze elkaar bij de katholieke
padvinderij. Maar pas bij de overstap van de welpen naar
de verkenners – Pim en Eelco zijn dan veertien jaar – ontstaat een hechte vriendschap.

Eelco herinnert zich Pim: 'Het was een jongen die altijd alles tegen mensen durfde te zeggen. Vooral zonder
aanzien des persoons. Hij had al van jongs af aan maling
aan alle rangen en standen. Hij had vaak opmerkingen
over hoe mensen zich gedroegen of kleedden. Hij had
ideeën en meningen en kwam ervoor uit wat hij vond. Zo
zei hij op een dag tegen mij: "Ik begrijp niet dat je moeder
nog bij je vader blijft. Die man zorgt thuis nou niet bepaald voor gezelligheid." Ik vond dat heel confronterend.
Het is keihard als iemand zoiets zegt als je vijftien bent.'

In ambtenaren- en forensendorp Driehuis is de grote
meerderheid van de bevolking protestant, een kleine
minderheid is katholiek. Het dorpje kan Pim niet beko-
ren. Hij zegt er later over: 'Ik ben diep ongelukkig geweest in dat dorp, ik haat het.' Tijdens vakanties gaat hij
vaak naar zijn *roots* terug, de Zaanstreek, om bij familie
te logeren. Dan verblijft hij bij zijn tante Tiny (Christina
Johanna Margaretha Beemsterboer) en zijn oom Cas (Cas-
par Hendrik), de broer van zijn vader. Tiny herinnert
zich dat Pim opvalt. Niet alleen draagt hij graag een keurige knickerbocker, ook spreekt hij op een 'speciale manier'. Hij articuleert met zijn ietwat hogere stem ook net
iets beter dan andere jongetjes. En hoewel hij tijdens die

vakanties een brave puzzelaar blijkt die zelfs het diploma ontvangt van de puzzeltocht van de Zaanse speeltuinvereniging, heeft kleine Pim ook een heel andere kant. Tiny vertelt over de ruziezoeker die Pim dan is. In Zaandam pest hij soms andere kinderen, met name de buurjongen van Indische afkomst. 'Pim heeft ruzie met de buurkinderen gezocht en gevonden. Hij wist heel goed de zwakke plek van iemand te treffen. Hij zoog en schold.'

Thuis in Driehuis heeft Pim niet veel vriendjes. Maar hij is wel een jongetje met veel fantasie. 'Ik had een eigen wereld. Door het creëren van je eigen wereld word je eigenzinnig. Mijn moeder begreep me heel goed.' Met zijn vader is de band een stuk slechter. Fortuyn: 'Ik heb lange tijd een zeer gespannen verhouding met vader gehad. Hij kon niet tegen mij op. Vader heeft nooit greep op mij gehad.' De afstand tussen Pim en zijn vader wordt groter naarmate hij ouder wordt, en met zijn moeder wordt de band juist intenser. Pim: 'Mijn katholieke opvoeding heeft ook, omstreeks mijn negende jaar, de verwijdering tussen mij en mijn vader tot stand gebracht. Hij hield van mij, maar kon niet tegen dat afwijkende. Mijn vader wilde altijd zijn als zijn omgeving, ik juist niet. Ik was altijd bijzonder, in kleding, spraak en gedrag. Dat vervulde hem met diepe weerzin en angst en hij trachtte mij keer op keer over te halen om niet zo opvallend en afwijkend te zijn.'

Broer Marten beschrijft vader Hein als een beetje 'kwezelachtige man. Erg plichtsbewust en ook een beetje bang, vooral voor financiële tegenslag.' Vader Hein is ook geen man die risico's durft te nemen. Zo kan hij op zeker moment een veel betere baan krijgen bij de concurrent van Vlaar. Marten: 'We zeiden allemaal: pa, je bent hartstikke gek dat je dat niet doet. Vader bleef loyaal en kwam daardoor in zijn werk stil te staan.' Tineke oordeelt wat milder en noemt vader Hein 'een welbespraakt en vrolijk mens': 'Vader kon heel mooi verhalen vertellen, die waren doorspekt met geestige en onverwachte opmerkingen. Als vertegenwoordiger hoorde hij veel moppen, die hij thuis aan tafel vertelde. Maar mijn moeder had weinig op met zijn humor. Zeker als mijn vader aan tafel de moppen ook nog eens ging uitleggen.'

Vader Hein Fortuyn is een overtuigd en belijdend katholiek. 'Een diep religieus man,' zoals Pim zei. Hij heeft een diepe band met de catechismus. 'Mijn vader was echt de man van het rijke roomse leven, hij zat tot over zijn oren in het verenigingsleven en vond die poespas van de rooms-katholieke Kerk ook wel heel erg mooi.'[34] Hij is lid van de St. Vincentiusvereniging, zit in het ziekenhuisbestuur en zingt in het kerkkoor, dat als leus had: 'Wie goed zingt, bidt dubbel.' Hein houdt van het ceremonieel in de kerk. Marten: 'Hij was dol op dat theatrale in de kerk. Pim ook. Het grote verschil met Pim was dat vader een grote mate van onderdanigheid voelde. Daar had Pim geen last van.' Hein is een begenadigd spreker die op verjaardagen en jubilea altijd het woord voert. Volgens Pim kan zijn vader 'fantastisch spreken en houdt hij van debatteren'. En: 'Niet veel dingen werden gek gevonden.' Diens uitdrukkingsvaardigheid heeft Pim geërfd.

Hein heeft ook veel belangstelling voor politiek, geschiedenis en maatschappelijke vraagstukken. Op zondag na de kerkdienst gaat hij dan ook graag met zijn zonen in de clinch. Het is niet moeilijk om je voor te stellen hoe daar de kiem is gelegd voor Pim Fortuyns eigen spreek- en debattalent. Vader Hein is een enthousiaste KVP'er, leest *de Volkskrant*, is lid van de KRO, maar vindt de VARA eigenlijk interessanter. Althans, totdat de VARA-haan kraait en de socialistische strijdliederen weerklinken – dan gaat de radio subiet uit.

## Een soms explosief gezin waar iedereen zijn zegje kon doen

De jaren zestig vormen het zwaartepunt van het gezinsleven van de familie Fortuyn. Hoewel vader Hein kostwinner en gezinshoofd is, zit moeder Toos – hoe symbolisch – aan het hoofd van de eettafel. Direct naast haar zit Hein, volgens Marten vaak met de hand op de knie van zijn geliefde. Aan de andere kant naast haar zit Tineke. Eefke en Simon hebben een plek in het midden. Pim, Joos en Marten zitten aan de andere zijde. Martens plaats is recht tegenover zijn moeder aan het uiteinde. 'Wij waren geen familie die heel erg over gevoelens praatte,' zegt Tineke. Tante Flos, die het gezin van heel dichtbij leerde kennen, zegt: 'Het gezin Fortuyn was een goed gezin, maar geen harmonisch gezin. Er was onderling weinig empathie en zaken werden niet uitgepraat. Het was soms explosief. Het ontaardde in ruzies en dat was niet gunstig.'

Thuis wordt veel over politiek en problemen in de samenleving gediscussieerd. Soms gaat het er fel en heftig aan toe, maar iedereen kan zijn zegje doen: het is een democratisch gezin. Er vinden veel gesprekken plaats, en daar wordt iedereen verbaal sterker van, hoewel het vaak ten koste gaat van de onderlinge verhoudingen. Moeder Toos kijkt met samengeknepen billen toe als de vlam in de pan slaat. Zus Eefke zegt later: 'We waren lawaaiig, ja. Iedereen deed zijn zegje bij ons, en dan ging het er hard aan toe. Uren zaten we na te tafelen. En we zagen er tot in de puntjes verzorgd uit, dat was het werk van mijn moeder. (...) We waren juist een heel leuk gezin waar iedere jarige met kletterende pannendeksel in optocht uit bed werd gehaald.'[35]

Eefke staat in het gezin bekend als een gezellig, maar ook emotioneel kind. Ze kan grillig zijn en heeft haar stemmingen. Oudste zus Tineke is bedachtzamer, soms op het brave af. Pim wordt soms boos op Tineke. Dan roept hij snedig in haar richting: 'Jij doet nooit eens je mond open.' De meest flamboyante van het gezin Fortuyn is Joos: een uitbundige jongen die grenzen opzoekt en overschrijdt. Oudste zoon Marten heeft een stoer imago, maar is volgens zijn broers en zussen ook recalcitrant als zaken hem niet bevallen. Hij heeft het geregeld met zijn moeder aan de stok. De jongste van het stel is Simon, die een vrolijk en zorgeloos leven lijkt te hebben. En Pim is de jongste van de oudere kinderen – ambitieus, goed van de tongriem gesneden en soms een tikje vals.

Tussen Marten en Pim botert het in hun jeugd niet. 'Mijn broer moest het hebben van zijn fysieke kracht,' oordeelt Pim. Op een keer loopt het stevig uit de hand als Marten Pim 'bont en blauw' slaat. Zo erg dat de gymleraar volgens Pim dacht dat hij thuis mishandeld werd. Marten herinnert zich het voorval nog: 'Ik heb hem vanwege zijn vileine gedrag een pak op zijn donder gegeven.' Verbaal is Pim volgens eigen zeggen sterker: 'Ik kon hem wel aan.' Hij kan zijn broer ook op gemene wijze tarten. Pim vindt zichzelf 'de slimste' van het hele stel. Dat hij zich daar ook naar gedraagt, wordt hem niet in dank afgenomen. Broer Marten lijdt eronder dat zijn moeder en Pim aan de eettafel soms tegen hem samenspannen. Pim pest zijn broer, en dat komt voort uit een zekere jaloezie op de mannelijkheid van zijn oudere broer. Marten: 'Pim kon nog wel eens beledigend zijn, op het valse af, en hij schuwde het niet om een scherpe of zelfs vuile opmerking te maken. Mijn moeder nam mij nog wel eens in de tang. Pim was dan de eerste die haar assisteerde om mij aan te pakken. Daar deed hij vrolijk aan mee. Ik ervoer dat als verraad. Hij was dan gewoon een etterbuil. Ik herinner me dat ik in de Elvis Presleyperiode een vette kuif met brillantine had. Mijn moeder vond dat daar een einde aan moest komen. Ze heeft me vastgepakt, samen met Tineke en Pim tegen de grond gewerkt en die kuif er afgeknipt.' De rivaliteit tussen de broers Marten en Pim gaat soms erg ver – té ver. Marten vertelt dat de onderlinge spanning soms op een ronduit onaangename manier werd uitgeknokt. Zo bouwt Marten op zeker moment een modelvliegtuig dat hij aan een touwtje in het trapgat ophangt. 'Om mij een hak te zetten heeft Pim dat touwtje doorgeknipt, waardoor dat ding in het trapgat is gestort en naar de filistijnen was.'

Pim verveelt zich nogal eens in Driehuis; hij vindt het daar maar saai en probeert met vriend Eelco Graafsma de tijd te doden. Ze bedenken de gekste spelletjes, zoals een bezoek aan Eelco's zus, die in 1963 leerling-verpleegster wordt in het ziekenhuis van IJmuiden. Ze moet er vanaf het begin al intern wonen. Ze krijgt een kamer recht boven de hoofdingang. Het ontvangen van mannenbezoek is door de nonnen uiteraard ten strengste verboden. De beide jongens zien dit echter als een welkome aanleiding om het katholieke gezag te tarten. Eelco: 'Pim en ik vonden dat verbod maar een vreemde zaak. We vatten het plan op om mijn zus op haar kamer met een bezoekje te vereren. We hadden in de weken dat ze in het ziekenhuis werkte een redelijke indruk gekregen van de insluipmogelijkheden. Tevens hadden we bedacht dat we het best op een zondagavond konden insluipen: een drukke dag voor de nonnen. Op die dag moesten de nonnen vast wel wat vaker bidden, en hadden ze geen tijd om hun leerling-verpleegsters in de gaten te houden. De opzet lukte. Via een zijingang en een lange omweg binnendoor wisten we meerdere keren de kamer van mijn zus te bereiken.' Onschuldig kattenkwaad, dat wel een beetje past bij de oubollige sfeer in Driehuis.

Lange tijd is Pim een weinig opvallend jongetje. Zijn jeugdvriend Eelco noemt hem een 'buitenstaander'. Pim zegt later: 'Ik was een vreemd jongetje met vreemde fantasieën en fantastische verhalen. Wij hoorden eigenlijk nergens bij en ik hoorde er helemaal niet bij. Vanaf mijn vroegste jeugd heb ik mijzelf als anders en afwijkend ervaren.' Het is echter niet Pim, maar zijn broertje Joos die lange tijd als het zwarte schaap van de familie wordt gezien. De jongen staat bekend als een waaghals en brokkenpiloot. 'Twaalf ambachten en dertien ongelukken,' vat Simon zijn broer samen. 'Hij was een beetje voor het ongeluk geboren.' Zo was hij al eens over de hekken van de IJmuidense papierfabriek Van Gelder geklommen. Daarbij had hij bij een klauterpartij op een tank een val van tien meter gemaakt en raakte zijn hoofd een uitstekend voorwerp. Hij belandde met een schedelbasisfractuur in het Beverwijkse ziekenhuis. Nadat hij ook daar zijn onverbeterlijkheid toonde en op het dak was geklommen, werd hij naar huis gestuurd. Joos kon ook vloeken en tieren en schold als tiener regelmatig zijn moeder uit. De opstandige Joos was van school gestuurd omdat hij "aan vriendjes had verteld hoe biggetjes worden geboren" – hij had het zelf gezien op de boerderij!' Simon weet bijna zeker dat Joos net als Pim homoseksueel was. 'Hij wilde daar echter niet aan toegeven en had zelfs vriendinnen.' Later wordt Joos lid van de Rode Jeugd, in de jaren zestig een militant-socialistische jongerenclub met afdelingen in IJmuiden en Eindhoven. Daar heeft Joos een heel goede vriend. Simon: 'Die vriend heette Peter. Hij had lang blond haar, echt een mooie jongen.'

Het leven van Joos eindigt abrupt en dramatisch op 14 juni 1970: Joos en enkele vrienden komen om bij een fataal auto-ongeluk. Hij overlijdt op het moment dat vader Hein in het ziekenhuis ligt vanwege een knieoperatie. Pim schrijft in *Babyboomers* dat hij op verzoek van de politie zijn broer heeft geïdentificeerd. Marten heeft een andere lezing: 'Ik ben met een brigadier naar het kleine mortuarium gewandeld en heb daar mijn broer aangewezen. Daar lag Joos op een marmeren tafel. Ik heb Joos geïdentificeerd en niet Pim.' Joos wordt thuis opgebaard. Er vindt een eucharistieviering plaats in de Engelmunduskerk in Driehuis. Zijn kameraden van de Rode Jeugd plaatsen bij zijn kist een krans van rode anjers. Dag en nacht waken ze bij hun gestorven makker. Voor zijn begrafenis trekt een lange begrafenisstoet met veel jongeren door het dorp, voorop Hein Fortuyn in een rolstoel. De massale belangstelling doet vooral Toos goed.

De dood van Joos is een zeer ingrijpende gebeurtenis voor Pim, die eigenlijk niet zo goed met zijn jongere broer overweg kon. De impact op de familie is enorm. In 1978, jaren na de dood van Joos, schrijft Pim een brief aan zijn ouders: 'Ik heb erg veel aan Joos gedacht. Het ging steeds beter tussen ons. Dat was vroeger niet zo. Het is een schrale troost voor jullie.'[36]

## 2.

# Het altijd aanwezige geloof

### Klassiek-katholiek

Begin negentiende eeuw maken de Fortuyns de overstap naar het katholicisme. De derde vrouw van Thijs Fortuijn is katholiek en een huwelijk tussen twee geloven is in die tijd uitzonderlijk – twee geloven op één kussen, daar slaapt de duivel tussen. De latere generaties Fortuyn zien de overstap naar het katholieke geloof in 1823 als een belangrijke markering in hun familiegeschiedenis.

'Klassiek katholiek,' zo noemt Pim zichzelf. Pim was een katholiek uit Noord-Holland. De meeste katholieke gemeenschappen in het noorden van Nederland waren enclaves omringd door een protestantse omgeving. Van oudsher waren de Noord-Hollanders roomsgezind, gericht op Rome en trouw aan de Paus. Hoewel hij de kerk in Driehuis vaak 'benauwend' vindt, is de invloed van de katholieke Kerk allesbepalend voor de jonge jaren van Pim Fortuyn. Het geloof drukt niet alleen een zwaar stempel op Pims jeugd, maar zijn latere politieke stijl is ook te herleiden tot zijn katholieke wortels. De hang naar theater, naar rituelen, naar uiterlijk vertoon zijn kenmerken van Pim Fortuyns manier van politiek bedrijven. Hij wendt zich later ook nooit van zijn katholieke wortels af. Hij kwalificeert het katholicisme als 'een betrekkelijk vrolijk geloof'. Eind jaren vijftig is de katholieke zuil waar Pim Fortuyn uit voortkomt nog volop in leven. 'De kerk' is er vanaf het opstaan tot het naar bed gaan. Voor de gelovigen zijn alle facetten van het leven verzuild: van het katholieke ziekenhuis tot de katholieke school, van de katholieke voetbalclub tot de katholieke woning-bouwvereniging. Door de clerus wordt veel, zo niet alles bepaald. Niet alleen in de zuidelijke provincies, maar ook boven de grote rivieren is de katholieke Kerk voor haar gelovigen alom aanwezig. Maar in de Nederlandse sa-menleving delen protestantse burgers vele generaties de lakens uit; honderden jaren lang zijn de protestanten do-minant.

Eeuwenlang – eigenlijk vanaf de Tachtigjarige Oorlog – hebben de katholieken in de Noordelijke Nederlanden de tweede viool gespeeld, maar daar komt geleidelijk verandering in. De leiders en volgelingen uit de katholie-ke gemeenschap beginnen zich steeds nadrukkelijker in de samenleving te manifesteren. Belangrijkste wapenfeit: in september 1918 is Charles Joseph Marie Ruijs de Bee-renbrouck in de laatste maanden van de Eerste Wereld-oorlog de allereerste katholieke regeringsleider. In hoog tempo verstevigt de katholieke zuil daarna zijn positie in de Nederlandse samenleving en politiek, daarbij ge-steund door katholieke werkgevers- en werknemersor-ganisaties die steeds nadrukkelijker aan de weg timmeren. Na de Eerste Wereldoorlog neemt ook het katholieke onderwijs een vlucht, met als grootste succes de oprich-ting in 1923 van de eerste katholieke universiteit in Nij-megen.

Parallel aan de toenemende invloed van de vele katholieke, verzuilde instanties begint ook een proces van erosie aan de onderkant van de katholieke gemeenschap. De emancipatie van de katholieken gaat gepaard met een fascinerende paradox. De katholieke leiders winnen aan macht en aanzien in de Nederlandse samenleving, maar de katholieke onderdanen worden mondiger en willen hun levenslot veel meer zelf bepalen. Ze beginnen zich langzaam maar zeker los te maken van hun eigen katholieke elite en de voorschriften die hun door politieke en kerkelijke leiders worden opgelegd. De opmars van de geseculariseerde Nederlandse katholiek neemt voorzichtig een aanvang. Soms loopt de scheidslijn dwars door gezinnen heen, zoals later bij de Fortuyns, waar moeder Toos aanzienlijk minder betrokken is bij het kerkelijke leven dan vader Hein, die er middenin zit.

Lange tijd probeert de katholieke Kerk de emancipatie en integratie van haar eigen onderdanen in de pluriforme Nederlandse samenleving af te remmen en in toom te houden. Maar de burgers uit het relatief gesloten katholieke bolwerk trekken zich er weinig van aan en zoeken steeds meer aansluiting bij de divers samengestelde Nederlandse samenleving. Soms gaat dat niet zachtzinnig en het kan ook leiden tot excommunicatie. Talrijk zijn de verhalen van katholieke jongeren die het geloof afschudden en door de eigen gemeenschap vervolgens bruut worden verstoten. Er zijn verhalen van mensen die in een keiharde botsing komen met hun familie en de katholieke omgeving en die moeten vluchten naar plaatsen waar ze wel tot hun recht kunnen komen. Het beroemde Bisschoppelijk Mandement van 1954 met al zijn voorschriften en moralistische implicaties is meer dan een stuip-trekking. Het is een laatste poging van de katholieke Kerk om volledige greep op haar leden te houden. Het is een poging om de discipline in de katholieke gemeen-schap te verstevigen.

De bisschoppen zijn in het herderlijk schrijven bepaald niet zachtzinnig tegenover hun eigen volgelingen. In de eerste plaats – zo krijgt men te horen – zijn katholieken aangewezen op katholieke organisaties en instituties. Maar ook wordt een groot aantal katholieke voorschrif-ten – met name op het gebied van seksualiteit en huwe-lijksmoraal – er nog eens stevig bij de gelovigen inge-prent. Katholieke normen en waarden moeten worden geborgd. In veel katholieke families moet zelfs de radio onmiddellijk worden afgezet als er een liedje door een andersdenkende omroep zoals de VARA werd gespeeld.

Het Mandement zou achteraf bezien als een boeme-rang werken, iets wat de Haarlemse bisschop Joannes Pe-trus Huibers al in 1954 vreest. Het blijkt al snel dat katho-lieken in plaats van zich terug te trekken in eigen kring, zich juist gaan richten op andersdenkenden. De ontzui-ling zet definitief in. 'De rooms-katholieke zuil heeft van alle Nederlandse zuilen het meest onder de woeligheid van de golven te lijden gehad, en vooral onder de om-wenteling die "de geest van zestig" afdwong. In onthut-send korte tijd werd niet alleen de structuur weggeve-vaagd, maar kwam er ook een eind aan "het rijke roomse leven", waarvan tot kort tevoren was gedacht dat de ech-te bloei nog zou komen,' zo schreef historicus Doeko Bosscher in retrospectief.[37]

Pim is een typisch product van deze grote verandering. Maar eerst zal hij nog lange tijd een trouwe rooms-katholiek zijn. Pas als hij gaat studeren, komt de omwenteling. Aanvankelijk krijgt Pim niet veel mee van het uitvaardigen van het Mandement; hij is nog te jong. Zijn jeugd staat geheel in het teken van de strenge, dominante, katholieke Kerk die gelovigen haar wil oplegt. Broer Marten: 'Vanaf zijn vroege jeugd is Pim heel erg katholiek geweest. Het hoorde een beetje bij zijn persoon. Hij was zo gek op ceremonieel. De kerk had hem veel te bieden. Hij was diepgelovig. Een kerkdienst was voor Pim een gebeurtenis waar hij vol eerbied en aandacht aanwezig was. Heel anders dan ikzelf. Ik keek in de rondte en vroeg me af: wanneer is de dienst nu afgelopen? Pim ging mee bidden en hij zong mee, voor zover hij overigens kon zingen.' Pim zegt keurig zijn weesgegroetjes en gaat 's zondags met zijn ouders naar de kerk. Elke dag slaat Pim het *Kerkboek voor de jeugd* open. Het staat vol met gebeden en opdrachten, zoals deze waarschuwing: 'Zo gauw we tot de jaren van het verstand zijn gekomen, zijn we tevens op de leeftijd dat we zonden kunnen doen. Daarom krijgen we dan ook het voedsel voor onze ziel, om die ziel sterk te maken tegen de aanvallen van de duivel.' In het handzame kinderboek voor katholieken wordt Pim precies uitgelegd hoe kronkelig de levenspaden kunnen zijn: 'Iedereen weet dat het moeilijk is om braaf te leven. De meesten van ons willen wel goed, maar toch doen wij allen gemakkelijk het verkeerde.'

De katholieke instituties zijn breed vertegenwoordigd in het verzuilde leven van Pims jeugd. Er is de Katholieke Openbare Leeszaal, de R.K. Toneelvereniging K.Z.O.S. (Kunst Zij Ons Streven), een Katholiek Vrouwengilde, een katholieke vakbond en een apart katholiek ziekenhuis. Als Pim in de jaren vijftig naar Driehuis verhuist, wordt de parochie van pastoor Bik in de Engelmunduskerk het oriëntatiepunt in zijn leven. Het kerkgebouw in het kleine Driehuis straalt katholieke grandeur uit: het is een neogotische kruisbasiliek met een westtoren naar ontwerp van de in die dagen beroemde katholieke architect P.J.H. Cuypers, dezelfde die het Rijksmuseum en het Centraal Station van Amsterdam bouwde. Voor de kerk staat een Heilig Hartbeeld op een bakstenen sokkel.

Over de lagere school waar Pim naartoe gaat, hoeft ook niet lang te worden nagedacht; dat is vanzelfsprekend de belendende Engelmundusschool aan de Schaepmanlaan, een school waar Pim Fortuyn achteraf vernietigend over oordeelt: 'Ik had een idyllische jeugd, bij tijd en wijle oorverdovend saai, overzichtelijk en voorspelbaar, en slechts bedorven door het verschrikkelijke katholieke lager onderwijs.' Fortuyn noemt dit katholieke onderwijs een 'zeldzaam onderdrukkend instituut'. Het is daar gebruikelijk dat leerlingen worden geslagen. En de nonnen noemt hij 'zwarte spoken'. De nonnen knielen in die tijd voor de christelijke beelden als ze deze passeren – zo niet de kleine Pim en zijn broer Marten. 'Mijn broer en ik knielen niet voor gipsen beelden.' Maar dit schrijft Pim veertig jaar na dato; het is aannemelijk dat hij veel volgzamer is geweest dan zijn tegen de katholieke mores rebellerende broer Marten.

## Broer en zus als priester en misdienaar

Pim heeft later wel eens gezegd dat de oorspronkelijke katholieke liturgie, 'het toneelspel', zoals hij het uit zijn jeugd kende hem inspireerde. Als kind speelt hij het soms letterlijk na met zusje Eefke. Het theetafeltje wordt dan omgebouwd tot altaar en Pim is de priester, met een groot laken om zijn schouders. Op het tafeltje staan een tabernakel en een beker als miskelk. Eefke speelt voor misdienaar. Pim eist dan dat Eefke precies doet wat hij zegt. Pim en Eefke spelen het hele toneelstuk een keer op een huiselijk Sinterklaasfeest tussen de schuifdeuren van de woonkamer – het is de oudste herinnering die Pims jongste broer Simon van hem heeft. Simon: 'De hele familie heeft krom gelegen om Pims optreden. Het theatergevoel. Het middelpunt willen zijn. Dat heeft hij altijd in zich gehad.' Beroemd is ook de jeugdfoto waarop Pim is te zien als jongeman en precies zo salueert zoals hij later zou doen toen hij zijn beroemde slogan de wereld in slingerde: 'At your service.'

De katholieke liturgie spreekt Pim dus wel aan. Het ceremonieel van de eredienst, de gebeden die worden opgezegd en het gezang: het prikkelt zijn verbeelding. In zijn autobiografie *Babyboomers* vat hij die aantrekkingskracht samen in één lange passage over de bisschop: 'De bisschop zegent ons in vol ornaat, met in zijn linkerhand de bisschopsstaf, met zijn witgehandschoende rechterhand en zijn bisschopsring aan zijn ringvinger, zichtbaar door een opening met borduursel. Een flonkerende edelstenen ring in een zegenend gebaar, minzaam en machtig.' Hij trekt zijn conclusie: 'Ik kijk het allemaal aan met diep ontzag en wil later ook bisschop worden of kardinaal, of beter nog paus.'

Het uiterlijk vertoon draagt zeker bij aan de macht van de priester, de kardinaal en de paus, zegt hij ook in zijn autobiografie. 'Hier staat en zetelt de macht,' merkt hij op over de bisschop. 'Al die Roomse verkleedpartijen zijn aan mij wel besteed,' voegt hij er nog aan toe. Dat uiterlijk vertoon inspireert Pim. Hij wuift graag minzaam en machtig naar zijn toehoorders, zoals op zondag 10 februari 2002 bij zijn beroemde breuk met Leefbaar Nederland, waarbij hij zegt: 'Ik word de nieuwe minister-president van Nederland.' Hij beheerst dat toneelspel, dat hij heeft afgekeken van de katholieke geestelijken uit zijn jeugd, tot in de finesses. Pim ziet al jong in dat politieke en geestelijke macht een eigen theater nodig heeft, compleet met een eigen stijl. De katholieke riten en symbolen komen hem dan ook zijn leven lang – en zeker in zijn politieke hoogtijdagen – van pas. Nadat de calvinistische stijl de Nederlandse politiek decennialang heeft beheerst, is het tijd voor wat meer spektakel en theater.

Bisschop of kardinaal is Pim niet hoog genoeg: hij wil eigenlijk paus worden. Dat idee formuleert hij dan wel met een glimlach, maar tot kort voor zijn dood herhaalt hij nog: 'Vroeger wilde ik paus worden, jazeker!' De functie van paus spreekt hem aan omdat de paus 'mogelijkheden heeft om de wereld ten goede te beïnvloeden'. Ook in zijn eigen familie is bekend dat Pim de ambitie heeft om paus te worden. Dat had hij als kind al verkondigd. Er werd wat vreemd tegenaan gekeken. Zijn tante Tiny oordeelt daar nuchter over: ze vindt het een beetje raar dat Pim direct het allerhoogste nastreeft en de tussenstappen denkt te kunnen overslaan.

## De invloed van de 'dikke dictator' pastoor Bik

Zijn hele leven zoekt Pim Fortuyn mensen die hem houvast kunnen bieden – of die hij vereert, zoals de paus. Een van de mensen die hij in zijn jeugd met een mengeling van afkeer en bewondering beziet, is pastoor Johannes Petrus Bik (1890-1964), de 'dikke dictator'. Een nadere kennismaking met deze pater is nodig om de jonge Pim Fortuyn te begrijpen. Hij is namelijk de spil om wie het katholieke leven in Driehuis draait, de volger met zijn trouwe kudde. In zijn autobiografie *Babyboomers* heeft Fortuyn Bik uitvoerig beschreven. Hij wijdt diverse episodes aan de pastoor, die hij (ook in andere publicaties) beschrijft als 'een kleine paus in eigen parochie'.

Op foto's zie je een corpulente man in traditioneel zwart gewaad. Bik draagt steevast een zwarte hoed met een opstaande rand, een Breton. Hij wordt omringd door nonnen. Wie Bik afgebeeld ziet, begrijpt wat Fortuyn bedoelt met een 'lokale paus'. De boerenzoon Bik heeft een autoritaire natuur, hij voelt een sterke drang om de kleine gemeenschap krachtig te besturen. Bik is een gevreesd man; hij bemoeit zich met alles. Beroemd is het verhaal van moeder-overste die bij Bik klaagt over het 'erogene' gedrag van meisjes in het internaat. Hij weet dat de meiden gebreide onderbroeken met graankorreltjes dragen en hij geeft moeder-overste het advies normaal ondergoed te kopen, waarmee het probleem volgens hem opgelost is.

Bik heeft in de parochie zijn eigen kleine hofhouding die volgzaam naar zijn pijpen danst. Toos, de huishoudster, en Bets, het dienstmeisje, zijn de nonnen van de congregatiezusters van de Voorzienigheid, die hem terzijde staan. Er wordt voor Bik gezorgd alsof hij een pasja is. Hij houdt van een goed glas wijn en heeft als enige in het dorp een wijnkelder. Pim noemt hem in *Babyboomers* 'onze levensgenieter', iemand die in schril contrast staat met de paters die door hun strenge ascese bij gelovigen zeer veel ontzag genieten. Zo niet Pim: hij vindt de bourgondische levensstijl van pastoor Bik juist prachtig. Maar moeder Toos vindt Biks optreden een poppenkast en zijn manier van leven geldsmijterij. Ze gaat niet vaak meer naar de kerk en zegt tegen het gezin: 'Ik ga stofzuigen, huishoudelijk werk is ook een vorm van bidden.' Ze blijft wel een gelovige katholiek, maar wendt zich steeds meer af van Biks parochie. Ze raakt zelfs in conflict met de pastoor en eist van haar man dat hij zijn kerkelijke bestuursfuncties neerlegt. Vader Hein blijft echter trouw aan de parochie.

Pim is misdienaar in de kerk in Driehuis. Tineke kan zich Pim nog goed voor de geest halen als acoliet. 'Dan had hij zo'n lange zwarte jurk met een witte kraag aan.' Zelf heeft ze het, net als haar moeder, niet op pastoor Bik. 'Ik vertrouwde hem nooit heel erg. Hij drukte mij met die dikke buik altijd heel erg graag tegen zich aan. Dat vond ik heel vervelend.'

Pastoor Bik is niet alleen streng, maar ook slim. Hij is een erudiete persoonlijkheid die de uitdagingen van een intellectuele overdenking niet schuwt. 'Hij mag graag preken over een aantal aansprekende Bijbelverzen en zich vermeien in een breedvoerige en welbespraakte uitleg daarvan. De meesten vinden dat maar niets: het is hier de protestantse kerk niet met haar Bijbel!' zo schrijft Fortuyn met het nodige respect in *Babyboomers*. Daarmee doelt hij op het feit dat in de katholieke Kerk de Bijbel-studie, met name die van het Nieuwe Testament, in essentie is voorbehouden aan de geestelijken. Het gewone kerkvolk wordt erbuiten gehouden en richt zich op de Heilige Mis en de liturgie. Maar pastoor Bik wil juist een extra intellectuele dimensie aan de liturgie geven.

De pastoor heeft het toegankelijke standaardwerk over die katholieke liturgie *Feest- en vierdagen in kerk en volksgebruik* geschreven. Daarin komt hij met oprechte twijfels over de aard en geschiedenis van het kerstfeest, die menig kerkganger in die dagen zullen hebben verrast. Zo plaatst hij de nodige vraagtekens bij de 'heidense' geschiedenis van de kerstboom, terwijl dat in de meeste huishoudens een onomstreden, bemind en noodzakelijk attribuut is in de donkere kerstdagen.

De pastoor uit Driehuis is een zeer karaktervolle man, zo bewijst zijn houding in de Tweede Wereldoorlog. Hij luistert in de oorlog goed naar de hoogste katholieke geestelijke, kardinaal Johannes de Jong, die contacten met de bezetter afwijst. De Jong laat in februari 1943 alle katholieke kerken een brief voorlezen waarin staat dat het episcopaat de Duitse misdaden buitengewoon scherp aan de kaak stelt en verklaart dat medewerking aan de maatregelen tegen vervolgde groepen in geweten onge-oorloofd is. De Jongs verzet is vooral bedoeld om de katholieke identiteit, de katholieke organisaties en het katholieke verenigingsleven te beschermen. Het is zeker geen actief verzet tegen de vervolging van joden. 'De Nederlandse katholieken liepen niet voorop om joden te helpen,' schrijft historicus Doeko Bosscher later. Bik, die in 1940 dorpspastoor wordt (en dat tot 1964 blijft), steunt

De Jong en durft zich in de Tweede Wereldoorlog nadrukkelijk van het nationaalsocialisme af te wenden.

Biks parochie heeft zwaar te lijden onder de bezetting. Door een grote brand in 1943 gaan in de sacristie veel zaken verloren. Misgewaden en kandelaars verdwijnen in de vlammen. Doordat een bunker explodeert, sneuvelen de ramen van de kerk. En als van het zegenende Christusbeeld vóór de kerk in de nacht van 19 op 20 april de linkerarm door Duitse soldaten wordt verwijderd, zodat Christus op de verjaardag van Adolf Hitler met zijn linkerarm de Hitlergroet brengt, laat Bik ook de rechterarm van het beeld verwijderen.[38]

## Scholier in gezapig en benepen Driehuis

Pastoor Bik is het spirituele middelpunt in het kleine Driehuis als Pim naar de lagere school gaat. Net als Pim aan school begint – in 1954 – wordt de katholieke meisjesschool ook opengesteld voor jongens. Pim moet van zijn streng katholieke vader met zes katholieke vriendjes naar de meisjesschool. Later blikt hij terug: 'We hebben het geweten, wij, de jongetjes werden collectief gestraft.'

In de parochie was Bik de schrik van iedere leerling. Pims jeugdvriend Eelco herinnert zich nog goed hoe hij en Pim een keer bij 'de dikke dictator' werden ontboden na een vergrijp: 'Pim en ik hadden een keer een jongen gepest en we hadden hem aan een boom vastgebonden bij de pastorie. We werden van school geplukt. Er volgde een audiëntie bij Bik, waarin we onze straf zouden horen. We werden in de achterkamer ontvangen. Bik dreigde met opsluiting in de catacomben van de kerk. Daar was

ieder jongetje benauwd voor. Er volgde een donder-
preek, we waren doodsbang.' Pim zelf vindt de lagere
school 'horror, heel benauwend, daar was het rijke roomse leven op zijn benauwdst, kinderen werden mishandeld, geestelijk en lichamelijk'.

Soms heeft Pim het inderdaad zwaar, maar over het algemeen heeft hij een redelijk veilige en vertrouwde
jeugd. Nanda Ramaker is een oud-klasgenoot van Pim
Fortuyn. Zij omschrijft haar medeleerling als volgt: 'Een
pientere knaap, kritisch, een beetje een eenling. Hij wilde
de leider zijn, maar was dat niet. Hij had een wat lijzige
stem, wat houterig. Hij kon het bloed onder de nagels van
leraren vandaan halen. Daarbij is het zelfs wel eens tot
een handgemeen gekomen.' Anders dan zijn broers heeft
Pim het gevoel dat hij nergens bij hoort. 'Ik was vooral op
mijzelf. Als jongetje van een jaar of zeven had ik een paar
vriendjes, die van voetbal hielden. Ik dus niet.'

'Een R.K. lagere school voor jongens en meisjes. Drie-
huis-Velsen' staat er op zijn schoolrapport uit 1956-1957
van de Engelmundusschool. Zijn rapporten tonen aardige leerprestaties, maar briljant is Pim Fortuyn zeker niet.
Zijn eerste rapport staat vol zessen en zevens, met een
vijf voor tekenen. Er staat kortweg op: 'Pim gaat over.'
De eerste jaren van zijn schoolcarrière blijkt Pim een opmerkelijke moeite te hebben met Nederlands, waar hij
een vier voor haalt. Hij spreekt niet soepel en daar krijgt
hij speciale spraaklessen voor. Broer Marten: 'Hij sprak
wat moeilijk. Hij stotterde niet echt, maar spreken ging
als jongetje niet vlotjes.' Een logopedisch succesverhaal
volgt: in zijn latere leven wordt Pims spreekvaardigheid
zijn belangrijkste wapen.

In de vierde klas van de lagere school krijgt Pim het aan de stok met de onderwijzer die de zanglessen verzorgt, meester Jansen, bijgenaamd de Kale Aap. Het conflict zal Pim de rest van de lagereschooltijd achtervolgen. Volgens Graafsma, die bij het incident aanwezig is, ontstaat er ruzie en deelt meester Jansen met een sleutelbos een paar rake klappen aan Pim uit. Moeder Toos hoort van het incident, fietst direct naar school met een stuk hout en gaat verhaal halen bij de meester. De ruzie escaleert. De Onderwijsinspectie wordt erbij gehaald en uiteindelijk wordt de rel gesust. Pim heeft altijd gedacht dat de onderwijzers hem daarom niet meer direct wilden klaarstomen voor de hbs.

Pims schoolrapport in de laatste klas van de lagere school is dan ook niet goed. Voor taal en rekenen heeft hij aanvankelijk een drie en een vier. Uiteindelijk haalt hij de cijfers op naar een vijf voor taal en een zeven min voor rekenen, maar juffrouw Smit, Pims onderwijzeres, schrijft erbij: 'Tot de kerstvakantie heeft Pim in de afdeling gezeten die opgeleid wordt voor het lyceum. Na die tijd in de andere afdeling. Dit verklaart het grote verschil in 't rekencijfer tussen kerst- en paasrapport.'[39] Er zit voor Pim niets anders op: hij moet naar een overbruggingsjaar, volgens Pim zelf dus vanwege het incident met de Kale Aap. Hij moet naar de mulo, maar via een zijpad weet hij die weg te vermijden.

De doorstart vindt plaats op de Sint Cassianusschool, Leerschool der Bisschoppelijke Kweekschool aan de Romerkerkweg in Beverwijk. De Velsertunnel is net een paar jaar open, maar die snelle verbinding is voor auto's en niet voor voetgangers of fietsers. Pim gaat dan ook met de fiets op het pontje over het Noordzeekanaal. Op deze school is het allemaal wat lichtvoetiger. Door te biechten kun je het leven makkelijker maken, zo is de rekkelijke filosofie. Er is speciale aandacht voor de biecht: 'Wij trachten de jongens van de zesde klas zelfstandigheid bij te brengen op het punt van regelmatig biechten. Ze mogen met de school biechten, doch we raden hen aan voor zichzelf te gaan, bijv. Daags voor Goede Vrijdag of in overleg met hun biechtvader.'[40] In *Babyboomers* vertelt Pim uitvoerig over zijn ervaringen met biechten, een fenomeen dat hem wel aanspreekt: 'Wij worden geacht onze pekelzonden op te biechten, als gesnoept te hebben uit de suikerpot, een grote mond te hebben gegeven tegen het gezag: onze ouders, het onderwijzend personeel, de politieagent en zo nog het een en ander, en natuurlijk de onkuisheid die wij hebben bedreven in woord en daad. Daarna krijgen we van de priester absolutie en de penitentie. De absolutie is de kwijtschelding van onze zonden en de penitentie is de opdracht tot de boetedoening, veelal niet meer dan het op de knieën in de kerk bidden van een aantal Onzevaders en Weesgegroeten.'

De biecht vormt een belangrijk element in het leven van iedere (jonge) katholiek. Biechten is elke ochtend tot 8.30 uur mogelijk en op zaterdagmiddag tussen vijf en acht. De kinderen van Fortuyn gaan te biecht bij pastoor Bik. Broer Marten maakt op een dag samen met zijn vrienden Freek en Roel Sandberg een 'gezamenlijk biechtlijstje'. Maar als Bik ontdekt dat hij in de maling wordt genomen, straft hij de jongens door hen de twaalf tableaus van de kruiswegstatie te laten vertellen; per tableau moeten ze drie weesgegroetjes prevelen. Marten keert zich later van de kerk af.

Als kind raadpleegt Pim geregeld het kinderbijbeltje *Tot God die mijn jeugd verblijdt*, geschreven door K. Galesloot. Dat was een soort praktische handleiding voor het dagelijks leven, met opnieuw speciale aandacht voor het biechten: 'Als we de dagelijkse zonden altijd goed biechten, helpt God ons ook om in het vervolg die kleinere fouten te vermijden. Want iedere keer dat wij goed biechten, krijgen we bijzondere genaden van God om braver te worden en vooral de zonden niet meer te doen die we gebiecht hebben.' Er staat ook in uitgelegd hoe het biechten werkt en op welke momenten er gebiecht moet worden: 'Wij doen meestal niet zo veel verschillende soorten van zonden, maar wel doen we hetzelfde kwaad heel dikwijls opnieuw! Wanneer we dus eens moeilijkheden hebben is het altijd het verstandigst de biechtvader in de biechtstoel om raad te vragen. Daarom hoort de biechtvader dus te weten wat voor kwaad we deden. Om het aan de priester te kunnen vertellen moeten wij eerst zelf onze zonden kennen. Daartoe onderzoeken we ons geweten. Kinderen die iedere avond bij het avondgebed even nagaan wat ze die dag voor kwaad deden en die dikwijls, dus bijvoorbeeld iedere veertien dagen te biecht gaan, hebben er niet veel moeite mee om hun zonden te kennen.'

Biechten is belangrijk voor Pim; hij heeft een uitlaatklep nodig. Het is voor hem een mentaal hulpmiddel om met zichzelf in het reine te komen en om tot rust te komen. Ook in zijn latere leven blijft hij iemand die zich wil verantwoorden voor zijn daden, twijfels en fouten en zoekt hij 'biechtvaders'. Die vindt hij onder zijn vrienden (en soms ook vreemden). Zo is zijn Groningse vriend Jan 't Hooft, die hij in 1986 leert kennen, een vertrouweling met wie hij het wel en wee van zijn leven doorneemt en aan wie hij zijn moreel besef spiegelt. 't Hooft zal in Pims leven als een soort extern geweten functioneren.

Pims carrière op de lagere school is al met al vrij moeizaam verlopen. Dat vindt Fortuyn zelf ook: 'De lagere school is de zwarte periode uit mijn leven. Een dromerig, fantasierijk kind te midden van kleinburgerlijke benepenheid. Ik heb er een levenslange weerzin tegen kleinburgerlijkheid aan overgehouden.'

# 3.
# Puberjaren op het Mendelcollege, 1960-1966

*De biecht, altijd wind tegen en de geliefde pater Hutjens*

De lagere school mag voor Pim dan de hel zijn, de middelbare school is voor hem de hemel. Na het overbruggingsjaar in Beverwijk volgt nog een laatste hindernis: hij moet een stevig toelatingsexamen doen. Hij slaagt wonderwel en mag eindelijk naar de hbs. In 1961 wordt hij toegelaten tot het Mendelcollege aan de Pim Mulierlaan in Haarlem.

Het Mendelcollege, zo beschrijft de studiegids uit het jaar 1960/1961, het jaar waarin Pim leerling wordt, 'wil bijdragen aan de vorming van wetenschappelijke en karaktervolle katholieke staatsburgers met een open oog voor de verbondenheid van Europa en de wereldbevolking'. De ouders van de nieuwe leerlingen krijgen een duidelijke boodschap mee: 'Het Mendelcollege wil de jongens opvoeden tot een ridderlijke, gezonde en beheerste omgang met het andere geslacht. In verband met de geleidelijkheid in deze opvoeding en het aankweken van een sterke zelfbeheersing, verzoekt het de Ouders zo dringend mogelijk om hun kinderen pas na de 3e klas op dansles te doen.'

Pim moet dagelijks een lange fietstocht maken. "'s Morgens wind tegen, 's middags wind tegen,' herinnert Pim zich. Van Driehuis via Santpoort-Noord naar Haarlem-Noord is een mooie fietstocht langs dorpjes, weilanden en prille autowegen, die in de jaren zestig nog tot ontwikkeling moeten komen. Zijn nieuwe school is gebouwd in een ongebruikelijke stijl; hij geldt in die dagen als markant, verrassend en vernieuwend. Het Mendel – zoals de school door iedereen wordt genoemd – is ontworpen door de toentertijd beroemde, Haarlemse architect Gerard Holt, die tot de stroming van het Nieuwe Bouwen behoort. Transparantie, ruimte en licht zijn de belangrijkste kenmerken van deze stroming. Die filosofie sluit goed aan bij de open sfeer op het Mendel; er blaast bijna letterlijk een frisse wind door het schoolgebouw vol katholieke kinderen. Die bries maakt iets in Pim Fortuyn los wat ervoor zorgt dat de beginnende puber zich kan ontpoppen.

Die filosofie van 'ramen openzetten' komt op allerlei manieren terug in de sfeer en inrichting van de school. In tegenstelling tot het Mandement van 1954 stimuleert het Mendel zijn leerlingen juist om hun blik op de wereld te richten. Van docenten wordt betrokkenheid bij de school gevraagd, de sfeer is niet bekrompen. 'Op de school heerste een volwassen sfeer,' zou Pim later zeggen. De kinderen worden serieus genomen. Dat het juist augustijner monniken zijn die de school met het gezicht naar de samenleving richten, is geen toeval. Het is een orde waar van oudsher een open mentaliteit heerst, ook 'vernieuwer' Maarten Luther kwam uit deze orde voort.

Frisse wind of niet, goed katholiek is de school natuurlijk wel. Er zijn katholieke clubs als de tafeltennisclub, de badmintonclub, de luchtvaartclub en de postzegelclub. En zelfs de dam- en schaakclub zoekt katholieke opponenten, getuige het feit dat op 6 mei 1961 'de Verenigde Katholieke Dammers voor het eerst op bezoek naar het Mendel kwamen om tegen onze jongens te spelen'. De St. Jozefszeeverkennerstroep, de W.I.A.P. Willibrordus Apostolaat ter bevordering van apostolaats- en Missiegeest, hoort ook bij de vrijetijdsbezigheden van de leerlingen.

Op de gevel van het Mendel staat in die tijd een groot kruis met daardoorheen de naam van de school. Het embleem van de school bestaat uit een kruis en een erwtenrank, om uit te drukken dat geloof en wetenschap samen kunnen gaan. Dat is niet verwonderlijk, want de school is vernoemd naar de augustijner monnik die de erfelijkheidswetten heeft ontdekt en beschreven. In de hal van de school staat een beeld van Samson in gevecht met de leeuw: een befaamd verhaal waar de leerlingen van het Mendel vaak aan worden herinnerd. De katholieke tradities worden goed in acht genomen. Elke lesdag begint met een gebed, meestal het Onzevader. In elk leslokaal hangt links van het schoolbord een crucifix. Elk schooljaar vindt in de aula een verplichte eucharistieviering voor leerlingen en docenten plaats, voorafgaand aan de proclamatie, oftewel de indeling van de nieuwe klassen en de toewijzing van de klassendocenten.[41]

Pim zoekt in zijn leven mensen bij wie hij houvast vindt, mannen tegen wie hij op kan kijken en die hem kunnen vormen. Als lagereschoolleerling maakt pastoor Bik indruk op hem, al roept hij ook gemengde gevoelens op. In pater Hutjens vindt Pim een nieuwe sterke figuur. Deze augustijner monnik pater drs. Valentinus Jan Hutjens (1913-1994) is uit heel ander hout gesneden dan pastoor Bik. Hutjens is de vermaarde rector en grondlegger van het Mendelcollege. Hij is overtuigd augustijn en heeft daar zelfs een boek over geschreven: *De Monniken van Sint Augustinus*. Pim noemt de priester 'gezichts- en sfeerbepalend': 'Een boomlange man in een wapperend zwart habijt, immer vitaal, dikwijls vrolijk en met altijd een sigaar in zijn mond.' De grote sigaar was onderdeel van Hutjens' uitstraling, zoals later ook Pim zich graag met een sigaar zou laten fotograferen.

Hutjens en Pim raken elkaar, ze herkennen een bepaalde verwantschap in elkaar. Hutjens heeft grote invloed gehad op de ontwikkeling van Pims persoonlijkheid. Hij is voor Pim een bijzonder mens met wie hij het goed kan vinden. Pim: 'Pater Hutjens was een man van stavast, een rechtlijnige man, krom is krom, recht is recht en beloofd is beloofd.' Pim waardeert de rector en de rector heeft iets met Pim. Er ontstaat een vorm van vriendschap. Pim: 'In de vierde klas van de hbs-B mocht ik pater Hutjens, als ik alleen met hem was, "rector Jan" noemen.' Het lijkt erop dat hij de bescherming van pater Hutjens opzoekt en dat Hutjens hem die biedt. De pater leert Pim zichzelf te zijn en zich zonder vrees aan de buitenwereld te presenteren. Later zegt Pim: 'Hij kreeg een beetje in de gaten hoe ik in elkaar zat en haalde me wat uit de groep. Daarna ging het fantastisch.'

Hutjens weet een deel van de scholieren aan zich te binden door elke ochtend om halfacht een mis op te dragen. Scholieren die naar de mis gaan, mogen samen met hem in de kantine van de school ontbijten. 'De grote man van het Mendel in de jaren vijftig en zestig' is enthousiast en inventief, een inspirerende persoonlijkheid. Als rector is hij geliefd bij de scholieren, omdat hij zich goed inleeft in 'zijn' jongens. Ook bij het lerarenkorps, onder wie enkele collega-paters, ligt hij goed. Hij probeert naar de kloosterregel van Sint Augustinus te leven: 'Leeft dus allen één van ziel en één van hart.'

Journalist en televisiepresentator Paul Witteman was ook een Mendelier, en wel in dezelfde tijd als Fortuyn. Ook op hem heeft Hutjens een grote invloed gehad. Witteman: 'Het bijzondere van het Mendelcollege was de relatie leerling-leraar. Die was losser dan op andere scholen in Haarlem gebruikelijk was. Dat was te danken aan de bevlogen pater Hutjens, de rector die een goed oog had voor kinderen met problemen. Pim en ik waren eigenlijk een beetje vreemde eend in de bijt. We hadden een hoop babbels.'

Pater Hutjens is een Nijmeegse katholiek, die niet behoort tot de conservatieve stroming binnen de kerk. Hij is een geestelijke in het spoor van de zich snel emanciperende katholieke Kerk in Nederland. Het Tweede Vaticaans Concilie en de progressieve daden van paus Johannes XXIII spreken zeer tot zijn verbeelding. Hij is ook sociaal bewogen, een praktische idealist. In Haarlem wordt hij vlak na de Tweede Wereldoorlog bekend vanwege zijn 'glasactie' voor 'zijn' Nijmegen en Venray. Beide steden hebben in de frontlinie gelegen en de kern van Venray is volledig verwoest. Dankzij Hutjens zijn beide steden weer 'glasdicht' gemaakt.

De Tweede Wereldoorlog galmt nog na op het Mendel, waar de grootste zonde het weggooien van brood is, 'in welke hoeveelheden en op welke plaats ook'. Katholiek zijn de Mendeliers en dat moeten ze blijven. Hutjens waakt daarover. 'De katholieke principes werden goed in de gaten gehouden,' schrijft Pim later. Hutjens ziet er streng op toe dat het opzeggen van gebeden door de scholieren niet wordt 'afgeraffeld'. Daartoe stelt hij met een aantal docenten een handleiding van Bijbelteksten samen, waardoor ze beter kennis van de Bijbel kunnen nemen. Hutjens tegen de leerlingen: 'De collegepaters zijn te allen tijde bereid tot het geven van persoonlijke geestelijke leiding en het toedienen van het H. Sacrament der Biecht.'[42]

Op school zijn er veel momenten waarop wordt stilgestaan bij het katholieke geloof. Zo is er het jaarlijkse kerstconcert door Die Haarlemsche Musyckkamer, kunnen de leerlingen te biecht gaan bij de paters, komt de bisschop van Haarlem Mgr. Van Dodewaard soms naar school om in de aula een eucharistieviering met de leerlingen te houden, en gaan de kinderen op Sacramentsdag massaal op bedevaart naar Onze Lieve Vrouwen ter Noord in Heiloo, voor katholieke Noord-Hollanders een belangrijke plek. In Heiloo staat op een heuvel bij een als geneeskrachtig beschouwde waterput (de Runxputte) een in 1409 gebouwde kapel gewijd aan Maria; later gaat de heuvel Kruipberg heten, omdat processies rond de kerk kruipend worden afgelegd. Marten en Pim doen beiden mee aan de processie.

Een kwaliteit van Hutjens is dat hij jongens uit gegoede gezinnen die elders niet slagen op sleeptouw neemt. Hij boort kwaliteiten van lastige leerlingen aan waardoor ze op school wél verder komen en uiteindelijk toch met een diploma de school verlaten. Pim, bewonderend: 'Ordeproblemen waren er nauwelijks op de school, terwijl er eerder een overvloed was van leerlingen die overal van afgestuurd waren.' Het aantrekkelijke van het Mendel is volgens Pim dat er alle ruimte is voor het 'afwijkende'.

Zelf heeft hij daar aanvankelijk overigens nog geen behoefte aan, de eerste jaren is Pim een leerling die nauwelijks opvalt. Hij vond zichzelf ook geen lastige leerling: 'Ik was niet problematisch.' 'Pim was een rustige, bijna verlegen jongen,' herinnert Theo Kletter zich, de latere rector van het Mendelcollege en Pims algebra- en meetkundeleraar in de onderbouw. 'Hij kwam bij mij als leergierig en zeer belangstellend over.' Tot de derde klas blijft Pim op de achtergrond.

Met Pims cijfers gaat het redelijk tot goed: in de tweede klas onderscheidt hij zich met een 9 voor aardrijkskunde, geschiedenis, wiskunde en natuurkunde. Op de achterkant van de enveloppe van zijn rapport rekent hij uit dat hij gemiddeld een 8 staat! Hutjens is ook blij. 'Goed gedaan, Pim! Nu nog naar een Frans-Engelse overeenkomst,' schrijft Hutjens bij het rapport, opdat Pim ook zijn talen wat ophaalt. In de derde klas blijven de talen een groot probleem: voor Engels en Frans haalt hij een 5. Het zou nooit Pims grote kracht worden. Integendeel, het kost hem later grote moeite om zich als wetenschapper en politicus uit te drukken in vreemde talen. Behoorlijk goed is hij echter in boekhouden, muziek en godsdienstige kennis; voor al die vakken haalt hij een 8. Uitblinker blijft hij in geschiedenis: bijna altijd een 9.

## Pim wordt maatschappelijk actief

Pim staat lange tijd in de schaduw van grote broer Marten. Hij trekt van alle Fortuyns op het Mendel namelijk de meeste aandacht en is het prominentst aanwezig in het schoolleven; later grijpt Pim zijn kans om ook actief te worden op school. Onder Hutjens' rectoraat maakt het buitenschoolse leven een ongekende bloei door. Marten wordt onder andere bestuurslid van de jeugdafdeling van het Willibrordus-Apostolaat, en zit als enige leerling in de Kapelcommissie. Dat is iets heel bijzonders en voor Marten een grote eer. Tijdens een massaal door leerlingen, ouders, oud-leerlingen en docenten bijgewoond feest ter ere van zijn vijfentwintigjarig jubileum is de pater een kapel cadeau gedaan: een feestgeschenk ter waarde van 35.000 gulden. De eucharistieviering ter gelegenheid van het jubileum is een massale gebeurtenis waar honderden mensen bij aanwezig zijn. Op foto's staan de vele aanwezigen netjes in rijen opgesteld met een tiental priesters in habijt op de voorgrond. Je waant je eerder op het Sint-Pietersplein bij een pauselijke plechtigheid dan bij het Hollandse feest van een jubilerende priester. Dit geeft aan hoezeer pater Hutjens het geliefde middelpunt van de school is.

Op school worden allerlei activiteiten opgezet. De schoolkrant *Mendel Vendel* is beroemd; journalisten Jan Tromp en Paul Witteman zetten hun eerste journalistieke stappen in dit orgaan. Marten laat af en toe namens de debatingclub van zich horen in de schoolkrant. Pims bijdragen blijven slechts beperkt tot een enkel stukje; hij is geen lid van de redactie. Zijn eerste openbare publicatie betreft een felle brief over de 'schoolmeesterachtige' werkwijze van de redactie. Die heeft een ingezonden stukje over sport van een andere leerling 'in het openbaar volkomen uit het verband gerukt en gekraakt'. 'Niet gepast,' schrijft moraalridder Pim. 'Het lijkt mij echt niet noodzakelijk om een inzender zo te kijk te zetten.' Volgens Pim zouden anderen nu 'afgeschrikt' worden om een stukje in *Mendel Vendel* te schrijven. Hij besluit met de wens dat zijn stuk 'een plaats' wordt gegeven. Ondertekend: 'Pim Fortuyn, 4B2.'

De leerlingen worden ook aangemoedigd om zich te bekwamen in debatteren. Voor Hutjens staat de spreekvaardigheid van leerlingen hoog in het vaandel. In de debatingclub kunnen zijn pupillen hun mondelinge vaardigheden scherpen. Marten kiest voor deze club. Als gastspreker treedt op een dag literator Kees Fens op, die vertelt over 'Carmiggelt en het Kroeglopen'. Pim komt af en toe naar de debatingclub, waar Paul Witteman twee jaar voorzitter van is geweest. Witteman herinnert zich: 'Pim stelde vragen op een honende toon.'

Pim kan en wil niet achterblijven bij Martens actieve schoolleven – hij vindt dat óók leuk. 'Als je betrokken was bij de school, dan waren de lessen rond 15.00 uur afgelopen. Ik was daarna een à twee avonden op school.' De activiteiten na schooltijd hebben grote invloed op Pim. Hij is weliswaar niet het middelpunt van de prestigieuze debatingclub, maar wel de scholier die maatschappelijke en geëngageerde acties op touw zet. Hij doet dat als bestuurslid van de S.O.S-actie, samen met docent pater Brom en leerling R. de Pont. Die laatste schrijft in de schoolkrant *Mendel Vendel* een wervend verhaal: 'Het is onze bedoeling de visie op het leven, de kerk en de wereld te verruimen.' En precies daar ging het het drietal om: het blikveld van de Mendelieren moest groter en wereldser worden.

Het drietal wil op het Mendelcollege films als *Wilde Aardbeien* van de Zweedse cineast Ingmar Bergman (die toen als avant-gardistisch bekendstond) gaan vertonen. En S.O.S. wil meer. De bekende humanist professor Jaap van Praag wordt op het katholieke Mendel gevraagd een lezing te houden. Pim, de pater en De Pont nodigen ook rabbijn Askenasy uit, die spreekt over 'de problemen van de joodse Kerkgemeenschap'. 'Wij nodigen u met nadruk uit, zodat deze man niet voor niets komt,' staat er in de uitnodiging; die bijeenkomst wordt een groot succes. Het drietal organiseert ook een BLIKKEN-BLIKSEM-ACTIE, bedoeld voor 'onze zieke en arme medemensen'. 'Velen van ons vieren Kerstmis met grote feesten en diners, maar ook onder ons leven vele z.g. stille armen. Juist voor deze stille armen vragen wij uw hulp. GEEF MILD. Hier geldt dus: HEBT UW NAASTEN LIEF ALS UZELF.'

Meer humanitaire acties volgen, in taal waar de noodzaak vanaf druipt: 'Doe mee aan de "actie India help!" Wat doen wij tegen de honger? Heeft U al meegedaan om India uit de nood te helpen, of heeft U alleen maar overdacht in welke bochten de uitgehongerden zich zouden kunnen wringen? Bent U zo'n sadist? Bent U iemand die alleen kan lachen als een medemens wanhopig smacht naar een enkele druppel water? Dan hebben wij u niet nodig. Crazy-world roept iedere Mendelier op om gezamenlijke actie te beginnen.' S.O.S. heeft nog meer ambities. Zo kondigt De Pont aan dat hij en 'Pim Fortuyn en een nog uit te zoeken meisje aan een televisieprogramma willen deelnemen'. Of het er ooit van is gekomen, is niet te achterhalen.

Wat opvalt, is dat Pim in deze fase van zijn leven anderen – in dit geval zijn medeleerlingen – aanmoedigt zich op de buitenwereld en de grote wereldvraagstukken te richten. Pim wordt in de jaren zestig een kind van zijn tijd: een babyboomer. Alles moet anders. Fortuyns generatie interesseert zich oprecht en vol belangstelling voor de wereld om hen heen. Ze oriënteren zich op de grote vragen van die tijd, zoals armoede en mondiale solidariteit. Pim heeft wat zovelen van zijn generatie hebben: een kritische instelling, met de durf om ook daadwerkelijk stelling te nemen. Opmerkelijk genoeg – en ook weer feilloos 'de tijdgeest' aanvoelend – maakt Pim Fortuyn later als politicus een grote draai. Hij richt zijn blik dan juist weer naar binnen: de identiteit en de waarden van ons eigen landje worden zijn succesvolle thema's.

Pim kiest ook nog voor de toneelclub. Hij wordt souffleur bij de opvoering van *De gelukkigste dagen van je leven*.[43] Dat stuk speelt zich af in de leraarskamer van Hillary Hall, een jongensschool in Hampshire, in het Engeland van de eerste jaren na de Tweede Wereldoorlog. 'Soms waren er dagen, dat het stille schoolgeluk bedreigd werd, doordat er donkere wolken kwamen aandrijven, zwanger van onheil en lotgeval, zich samenpakkend boven leerlingen, onderwijzend personeel en onderwijsprogram.' In een nagelaten tekst is aan de doorhalingen en opmerkingen te zien dat Pim zijn taak uiterst serieus opvat. Hij is souffleur, géén acteur.

Pim is minder uitgesproken dan broer Marten, die secretaris van de vermaarde debatingclub van het Mendel wordt. Later heeft Pim doen voorkomen alsof hij voorzitter van de debatingclub is geweest en ook in *Babyboomers* verhaalt hij over de debatingclub, maar in werkelijkheid was dat dus het domein van broer Marten. Pim neemt wel deel aan debatten, maar manifesteert zich meer in een ander gremium: het 'overleg' met de schoolleiding over veranderingen en democratisering, een fenomeen dat in die jaren op gang komt. Oud-rector Kletter, de opvolger van pater Hutjens: 'Ik herinner mij goed dat Pim Fortuyn, soms alleen, vaak samen met pater Brom, diverse malen op mijn kamer over leerlingenbelangen is komen praten. Hij bleek tijdens die gesprekken goed van de tongriem gesneden te zijn. De gesprekken gingen over gewone onderwerpen, zoals het vragen van ijsvrij of het klagen over het feit dat klassen tegen de regels in twee proefwerken in zware vakken op één dag kregen.' Kletter noteert in deze jaren dat Pim aan het veranderen is: 'Zo verlegen als Pim Fortuyn was in de lagere klassen zo duidelijk aanwezig was hij in de hogere klassen.' In de eerste plaats was hij een 'openhartig persoon' die zijn indrukken van anderen met anderen wilde delen.

Met grote zelfdiscipline maakt hij zijn huiswerk. Pim heeft wilskracht en ambitie, en op school leert hij het nut van doorzettingsvermogen. Thuis heeft hij de zolderetage ingericht met een geïmproviseerd kamertje voor zichzelf. Hij wil zich afsluiten van de andere gezinsleden en hangt een gordijntje aan de hanenbalk onder de nok van het dak. Met wat kartonnen platen timmert hij zijn eigen kamertje. Hij loopt daar vaak rond in een kamerjas. Marten heeft een belletje aangelegd waar zijn moeder op drukt als Pim moet eten; geen van de andere kinderen heeft zo'n voorziening. Op zolder heeft hij, zoals hij zelf zei, een 'heel eigen bedoening' gemaakt. Er staat een bureautje en er zijn nogal wat boeken. Hij begint daar zijn eigen universum op te bouwen. Tineke kan zich de blikken appelmoes herinneren die Pim voor zijn verjaardag kreeg en die hij onder zijn bed plaatste: 'Hij heeft ze stuk voor stuk op dat kamertje in zijn eentje opgegeten. Daar kregen wij niets van.'

Pim gaat zijn eigen gang: 'Ik had een eigen wereld met veel fantasie. Mijn moeder begreep dat heel goed (...) sterker, ze stimuleerde het ook. Door die eigen wereld word je ook eigenzinnig. Ik was een kind dat moeilijk op te voeden was. Vader heeft nooit enige greep op mij gehad.' Voor Marten staat vast dat in het zelf getimmerde kamertje de carrière van Pim is begonnen. 'Hij kwam thuis van school, dronk een kopje thee en dan ging hij in dat kartonnen kamertje dag in, dag uit keihard studeren en zitten stampen. Heel veel stampen. Pim is niet een persoon van snelle inzichten, maar een jongen die er keihard voor moest studeren.' Simon beaamt: 'Pim moest er heel hard voor werken. Het kwam hem niet aanwaaien.'

Pim is geen sportief jongetje. Voetballen vindt hij maar vies en aan gymnastiek heeft hij een hekel. Als een wat op zichzelf gerichte jongen zonder het socialiserende effect van groepssporten had Pim wellicht makkelijk kunnen vereenzamen, maar hij is ook geen echte einzelgänger. Hij is geen allemansvriend, maar hij zoekt wel mensen op die hem interesseren of van wie hij wat kan leren. Zo ook zijn 'tante Flos', een chique vrouw van voorname afkomst, oorspronkelijk een bevriende kennis van broer Marten. Marten heeft aanvankelijk verkering met de dochter van tante Flos en introduceert zijn broer medio jaren zestig bij de deftige dame. Pim zal haar vele malen bezoeken in haar woning in Santpoort-Noord. In eerste instantie zijn deze ontmoetingen bedoeld om zijn kennis van de Franse taal bij te spijkeren, maar er ontstaat een hartelijke verhouding tussen deze dame en Pim. Flos is gemanierd, gefortuneerd en beschikt over een grote eruditie, allemaal zaken die Pim zeer intrigeren.

Willemine Henriette Moskowsky-de Vaynes van Brakell Buys (Pim en Marten mochten 'tante Flos' zeggen) wordt in Batavia geboren. Ze komt op haar negentiende naar Nederland. Haar deftigheid en waardigheid heeft ze niet van een vreemde: haar vader is een bekende man in Nederlands-Indië, een belangrijk bankdirecteur in het interbellum (in *Babyboomers* stelt Pim dat tante Flos van adel is, bij navraag zegt ze dat niet te zijn). Tante Flos is belangrijk in Pims jonge leven. Pim heeft als stille wens om tot de elite door te dringen, maar zijn eigen afkomst is daar een beperkende factor voor.

Door tante Flos komt Pim in aanraking met de cultuur van de elite. Zo introduceert ze hem in de wereld van cultuur, literatuur en muziek. Ze neemt hem wel eens mee naar de schouwburg of een concert, een wereld die Pim van huis uit niet kent. Tante Flos wordt later ook een soort vertrouwenspersoon van hem. Samen nemen ze de gewichtige vraagstukken van het leven door. Tante Flos over Pim: 'De eerste keer dat we elkaar spraken, was door de telefoon. Het was een heel bibberige, jonge stem en dat was Pim die zich meldde. Hij zal zestien jaar geweest zijn. We hadden regelmatig gesprekken, we konden goed samen praten. Ik had de indruk dat hij via mij een nieuwe wereld ontdekte. In wezen een heel andere denkwereld: van de doorsneewereld kwam hij als het ware in de weidse wereld terecht. Ik had bij Pim lang het gevoel dat hij in een benauwde wereld opgroeide. Ook al omdat hij een buitenbeentje was.' Al met al vindt tante Flos Pim in die dagen een 'onzekere jongen'.

## Roerig laatste schooljaar op een gemengd Mendelcollege

Charismatische, betrokken leerkrachten kunnen veel invloed hebben op hun leerlingen. Pater Hutjens is niet de enige leraar die Fortuyn aansprak en die hem geestelijk vormt, dat doet ook Pims geschiedenisdocent Harry Prenen, toentertijd een bekende publicist in onder andere *de Volkskrant, de Haagse Post* en *Elsevier.* Fortuyn beschouwt Prenen als de leraar die 'geschiedenis tot een feest maakte'. Woordkunstenaar Prenen inspireert Pim en is volgens de jonge Fortuyn 'in de eerste plaats een groot spreker en verteller. Zijn openbare toespraken waren juweeltjes van welsprekendheid en eruditie.' Prenen kan niet alleen geweldig vertellen, hij kan ook nog eens prachtig acteren. In *Babyboomers* vertelt Fortuyn dat Prenen de vlucht van de Franse koning voor de revolutionairen levensecht kon navertellen en naspelen in de klas.

Fortuyn leert van Prenen dat de Franse Revolutie 'in de kern slecht' is. Vanuit een katholiek gezien is dit een niet verwonderlijk standpunt: na de Franse Revolutie was het immers gedaan met de heerschappij van de rooms-katholieke Kerk. Dat gold vooral voor Frankrijk, waar tussen de kerk en de republiek lang een conflict bestond dat pas werd beslecht in de Dreyfusaffaire en het in wetten vastleggen van de laïcité (1905), waarbij de Kerk definitief haar greep op het Franse onderwijs verloor. Prenen vergeet er echter wat bij te vertellen aan zijn jonge katholieke leerlingen. Voor Nederland liggen de zaken namelijk genuanceerder. Dezelfde revolutionaire geest die zich in Frankrijk tegen de vervlechting van katholieke Kerk en staat keert, maakt in het protestantse Nederland op termijn een einde aan de discriminatie van de katholieken. Dat is dus een aardige paradox, die katholieke schoolmeesters er overigens niet van zal hebben weerhouden in hun onderwijs te waarschuwen voor 'de gevaren van het revolutionaire gedachtegoed van de goddeloze, Franse woelgeesten'.

Prenen is een goede vriend van de Haarlemse schrijver Godfried Bomans (1913-1971), die begin jaren zestig als een belangrijke verlichte katholiek geldt. Hij is beroemd van radio en televisie en komt vaak naar het Mendel om voor de leerlingen op te treden in de debatingclub. Prenen en Bomans zijn in Haarlem en ver daarbuiten bekende persoonlijkheden. Ze blijven altijd vasthouden aan hun katholieke identiteit, maar laten zich niet opsluiten in de roomse zuil.

Prenen brengt de katholieke symbolen op school tot leven. Zo kalligrafeert hij op het schoolbord met krijt de dagheilige en geeft daarna tekst en uitleg. Hij is ook een creatief mens, die de kunst van het formuleren beheerst. Het speciaal door hem gecomponeerde schoollied is tot 1964 door Pim Fortuyn en de andere Mendelieren veelvuldig gezongen. Na 1964 is het niet meer ten gehore gebracht, want toen werd het Mendelcollege een gemengde school. De tekst, niet vrij van enige moraal, en met enige humor, gaat als volgt:

*Jongens die zich willen weren*
*En in hart en ziel gezond,*
*Niet te lui om wat te leren,*
*Die staan stevig op de grond.*
*Zo zijn wij door God geschapen,*
*En voor plicht en voor plezier*
*Maar geen kudde makke schapen*
*Daarom zijn we Mendelier*
*Door de vlag die wij ontvouwen*
*Van de grote Augustijn*
*Kunnen wij in Godsvertrouwen*
*Erfelijk zijn zonen zijn.*
*Want van alles wat wij leren*
*Ligt het einddoel toch niet hier*
*Wat de wereld ook bewere*
*Daarom zijn we Mendelier*
*En zo gaan wij lange jaren*
*Zwaar beladen naar de klas*
*Wij met onze wilde haren*
*Welig als het struikgewas*
*Op de naam van Pater Mendel*
*Zijn wij trots en gaan we fier*
*Daarom zwaaien wij zijn vendel*
*Daarom zijn we Mendelier*[44]

Prenen is geen priester, Hutjens is dat wel. Fortuyn heeft nooit een kritische noot geplaatst bij het feit dat hij en andere kinderen les kregen van priesters. Hij gaat zelfs voorbij aan het debat daarover begin jaren zestig op de Haarlemse school. De positie van de priester als leraar in het onderwijs was niet onomstreden. Het komt zelfs ter sprake op het vijfentwintigjarig priesterfeest van Hutjens. De voorzitter van de ouderraad van het Mendel haalt dan voorzichtig de wat hij noemde 'controverse over de plaats van de priester in het onderwijs' aan. Oud-Mendelleerling Paul Witteman: 'Het katholieke element was duidelijk aanwezig op het Mendel, maar gaandeweg verminderde de invloed ervan in het pedagogisch kader. Er kwamen ook steeds minder paters lesgeven.' Halverwege de jaren zestig vertrekt Hutjens als rector. Zijn opvolger is geen priester, maar een leek.

Langzaam maar zeker worden de veranderingen op de school gevoeld. Er klinkt een steeds luider nieuw geluid. Als de schoolbibliotheek daarvoor als graadmeter mag dienen, dan valt op dat naast de vertrouwde werken van Cissy van Marxveldt nu ook de boeken van Mulisch, Van het Reve en Hermans op de planken belanden. Ook Du Perrons kritische boek *Land van Herkomst* en *De Ondergang* van Jacques Presser worden in die jaren aangekocht. Pim houdt precies bij welke boeken hij leest. Op zijn lijstje staan Simon Vestdijks *Ivoren Wachters* en de *Gysbrecht van Aemstel*. Maar opvallend genoeg boeit vooral de Duitse literatuur hem. *Die Judenbuche* van Droste-Hülshoff, *Egmont* van Goethe en ook *Die Dreigroschenoper* van Bertolt Brecht staan erop, en van Kafka leest hij het meest: *Urteil und andere Erzählungen, Die Verwandlung* en *Das Prozess.*

Door de nieuwe tijd verandert het karakter van het

Mendel. Het is niet langer het kleine schooltje met vierhonderd leerlingen, of zoals Pim het zegt: 'De veilige en overzichtelijke gemeenschap waar het goed toeven was.' Het Mendel staat aan de vooravond van de grote onderwijsvernieuwingen uit de jaren zestig. Al eerder heeft Hutjens daar een voorschot op genomen door de revolutionaire maatregel te nemen een schoolpsycholoog aan te stellen – en nog wel een vrouw. Zij moet haar aandacht richten op leerlingen die achter zijn geraakt door ziekte of huiselijke omstandigheden. Pater Hutjens roemt de psychologe in de schoolgids braafjes: 'Mevrouw Perquin-Gerris hield voor een uiterst dankbaar gehoor haar inaugurale rede, of beter op wetenschappelijk niveau moederlijk bezorgde toespraak.' Pim vindt de schoolpsycholoog een modernistische frats waar hij weinig mee heeft. In *Babyboomers* doet hij zijn oud-rector onrecht door te stellen dat de schoolpsycholoog de school zou zijn opgedrongen.

Alles verandert als, zoals Pim zegt, 'er opeens meisjes op school moesten komen': het Mendel wordt in 1964 gemengd. De eerste 45 meiden betreden eind april voor het eerst de school. Pim vindt het niks. Maar de *Mendel Gids* vermeldt het jaar daarop trots: 'De traditionele Kerstavond met "Die Haarlemsche Musijckcamer" doch nu voor het eerst met gemengd koor!!'

Het aantal leerlingen neemt enorm toe. Wat Pim vooral veel zorgen baart, is de 'overbevolking' van de school: het tekort aan leslokalen, de ingewikkelde lesroosters en de 'verkeersregels' die in de gangen van het gebouw gelden om te voorkomen dat leerlingenstromen tijdens leswisselingen botsen. Deze overbevolking ontstaat door de enorme toename van het aantal leerlingen vanwege het feit dat nu ook meisjes zijn toegestaan en vanwege de start van het havo-experiment aan het Mendelcollege in 1965.

Het is natuurlijk maar de vraag of de sfeer op school alleen dáárdoor verandert. Ook de tijden worden roeriger. Op 1 januari 1966 blijken negentien spiegelruiten in het schoolgebouw door vandalisme gesneuveld. 'De dader ligt nog steeds op het kerkhof,' noteert het jaaroverzicht van de schoolgids. Meer veranderingen volgen. Pater Hutjens raakt halverwege de jaren zestig zwaar overspannen. De onderwijsveranderingen zorgen er volgens Pim voor dat 'de hele sfeer op school kapot werd gemaakt. De rector kon dit niet meer bolwerken'. Hij schrijft: 'Ik mis Hutjens elke dag.' Er komt een autoritair en anoniem gezag en Pim noemt zijn laatste jaar op het Mendel 'van een grote droefheid en stille sabotage'.[45]

Pim vraagt zich later af of Hutjens misschien homoseksueel was, mede gezien zijn uitzonderlijk goede omgang met de jongens. Hoewel Marten Fortuyn op zeker moment zegt er stellig van overtuigd te zijn dat Hutjens van de mannenliefde is, gelooft Pim daar niet in. 'Ik heb wel eens gedacht dat het iets homoseksueels was, maar dat was het niet, want die man heeft later een vriendin gekregen. Toch was het ook iets erotisch. Hij had kennelijk een vriendje nodig en dacht: "Dat is wel een geschikt vriendje." Een tijdlang zijn we samen opgetrokken. Op zondag maakten we bijvoorbeeld tochtjes en gingen we kloosters bezoeken. Prachtig vond ik dat.' Volgens Pim heeft Hutjens' belangstelling voor de leerlingen ook veel te maken met 'het jongensachtige in ons':

'Hij was zelf ook in menig opzicht nog een jongensachtige man die lol had in onze weerbarstige ongehoorzaamheid'.

Bij het afscheid van Hutjens in januari 1967 staat Fortuyn stralend tussen de paters, er goed voor zorgend dat hij mooi in beeld komt. Als Pim ouder wordt, slaat de bewondering van de leerling voor de meester om in bewondering van de meester voor de leerling. Hutjens volgt Fortuyn zijn hele leven en is trots op hem. Als Pim hoogleraar wordt, stuurt Hutjens hem een briefje, een door Pim gekoesterd papier. Hutjens zegt 'blij te zijn de eerste steen voor een wolkenkrabber te hebben gelegd'. Overigens correspondeert Harry Prenen ook tot op hoge leeftijd met zijn beroemde oud-leerling.

Al die jaren heeft Pim nauwelijks nonnen op school gezien, behalve als de zusters augustijnen van Sint Monica hun jaarlijkse Paasloterij kwamen houden. Verder zagen de Mendelieren uitsluitend mannelijke geestelijken. In *Babyboomers* roert Pim zelf het onderwerp van seksueel misbruik binnen de katholieke Kerk aan. Een priester wil zich aan Pim vergrijpen en Pim raakt in paniek: 'Zo'n type heb ik ooit letterlijk van mij afgeslagen, waarna ik onmiddellijk naar de rector vluchtte en geheel overstuur mijn verhaal deed. De pater was de volgende dag van school verdwenen, razendsnel overgeplaatst naar een bureaufunctie binnen de orde waar hij niets met jongens van doen had.'

Wat opvalt bij bestudering van zijn biografie en bij de feitelijke bronnen, is dat Pim de geschiedenis van de school herschrijft door tal van details over het Mendel in een ander daglicht te plaatsen en door zijn eigen rol op school groter te maken dan die was. Hij construeert zo zijn eigen werkelijkheid, iets wat hij ook doet bij zijn terugblik op zijn jeugd in het gezin.

## Rebel without a cause

Pim vindt zichzelf als jonge adolescent 'een beetje een dandyachtig geval, uitermate eigenwijs en zelfingenomen en op een onechte manier zelfverzekerd. Zo'n houding was natuurlijk niet alleen maar feest.' Het doet hem naar eigen zeggen niet zo veel of mensen hem 'aardig' vinden. Hij doet er ook helemaal geen moeite voor om aardig gevonden te worden. Later haalt hij nog wel eens de robuuste persoonlijkheid van Picasso aan, die het ook geen bal kan schelen of mensen hem aardig vinden. Hij vindt Picasso een geweldige man, omdat hij roem als doel in het leven had. De schilder is Pims voorbeeld en die roem is ook zíjn doel. Toch vindt oud-rector Kletter Pim als scholier 'een vriendelijke jongen, die op heel knappe wijze wist hoe hij mensen voor zich kon winnen'. 'Mij is een stijlfiguur uit zijn gesprekstrant bijgebleven. Als hij over een onderwerp zijn mening wilde geven, bleef hij beleefd en charmant en zei hij nooit: "Ik vind, dat...", maar vroeg hij altijd : "Vindt u ook niet, dat...?", als het ware zijn gesprekspartner direct binnen zijn eigen kamp trekkend. Bij het stellen van de vraag gebaarde hij joyeus en steeg de toonhoogte van zijn stem.'

Pim wil graag invloed hebben op de manier waarop mensen zich hem later zullen herinneren. In 1998, als hij een halve eeuw oud is en blijkbaar behoefte heeft om terug te kijken, schrijft Pim zijn biografie *Babyboomers*. Hij wil daarmee bij het grote publiek de indruk wekken dat hij een zelfbewuste, strijdbare jongen was die met zijn mond 'scherp als een scheermes' de waarheid zei: 'Ik was een zeer beducht jongetje,' schrijft Fortuyn in het boek. Hij legt uit waarom: 'Ik begon nooit met vechten, maar als het moest, stond ik mijn mannetje en was ik een behoorlijke vechtersbaas. Veel vriendjes waren beducht voor mijn staalharde vuisten. Maar nog meer voor mijn mond, scherp als een scheermes, gelijk die van mijn moeder. Al vroeg beheerste ik de Franse kunst van de stalen vuist in de fluwelen handschoen. Altijd argumenteren, dat kon ik als de beste, maar ze moesten wel mijn zin doen. Een kleine dictator die ook veel oudere jongens op de kop zat en de baas was. Ik wist het altijd beter en het moet gezegd worden: ik had altijd gelijk.'

Maar is de jeugdige Pim Fortuyn zoals hij zichzelf beschrijft wel de echte Pim uit die tijd? Of is dit hoe hij zichzelf in 1998 graag in retrospectief wil laten zien? Gelooft hij in de door hemzelf gecreëerde mythe van het jongetje dat van jongs af aan alles beter wist dan anderen en daar ook steeds uiting aan gaf? Wat is de feitelijke waarheid en wat is geromantiseerde geschiedenis?

Fortuyns woorden kunnen met een korreltje zout worden genomen. Al was het maar omdat hij nog geen dertig bladzijden verder in zijn eigen autobiografie een bekentenis doet, die het eerder opgeroepen beeld toch behoorlijk tegenspreekt: 'Gedurende de eerste drie klassen van de hbs ben ik een wat teruggetrokken, broeierige jongen. Ik kijk de kat uit de boom.' Fortuyn erkent een stukje verderop ook nog eens dat hij een 'nogal gesloten, teruggetrokken jongen' was. Hij was bovendien slecht in sport, iets wat ook al niet helemaal correspondeert met de 'staalharde vuisten' waar anderen zo bang voor zouden zijn geweest.

Als tiener begint Pim definitief te veranderen. Pas op zijn vijftiende, in de derde klas van het Mendelcollege, ontwikkelt zich zoals hij het zelf noemt 'een onweerstaanbare behoefte om mij te uiten en te manifesteren'. Hij wordt zelfstandiger en zet vraagtekens bij bestaande normen en waarden. Puber Pim is dan nog wel *a rebel without a cause*. Langzaam maar zeker geeft hij inhoud aan zijn opstandige en soms recalcitrante gevoelens. Pas in zijn puberteit komt dus de rebelse Pim naar voren en ontstaat zijn drang 'om te spreken waar anderen zwijgen'. Dit is dus niet een bijna 'aangeboren' eigenschap, zoals hij eerder zelf suggereerde.

Rond die tijd wordt Pims kledingkeuze meer uitgesproken. Hij bepaalt al snel zijn eigen imago en stilering en ontwikkelt een voorliefde voor mooie kleding. Hij eist rond zijn vijftiende kleedgeld van zijn vader en krijgt dat. Direct schaft hij twee kostuums aan. Pim: 'Ik droeg al heel vroeg pakken. Ik had een aantal kostuums, en was zo echt een mijnheer.' Pim heeft aanvankelijk nog een ingetogen presentatie, maar op een gegeven moment wordt zijn verschijning op het Mendelcollege opvallend. Kletter vertelt: 'Hij liep het laatste jaar op gewone schooldagen rond in een driedelig kostuum, iets wat een enkele leerling slechts deed tijdens de mondelinge eindexamens en de diploma-uitreiking.' Kletter haalt er de eindexamenfoto van hbs-B uit 1967 bij. Te zien is dat Pim als enige scholier een pochet in de borstzak draagt. Net als alle andere die het eindexamen succesvol hebben afgelegd krijgt Pim een stel kaarsenhouders voor de liturgieviering.

Na de middelbare school moeten in die tijd alle jongemannen in militaire dienst. Alternatieve dienstplicht is medio jaren zestig nog bijna niet mogelijk. Volgens zus Tineke doet Pim er alles aan om zijn militaire dienstplicht niet te hoeven vervullen en het lukt hem wonderwel om gevrijwaard te blijven van deze last. Tineke: 'Hij heeft het ministerie van Defensie en de minister gebombardeerd met brieven waarin hij kenbaar maakte absoluut niet in militaire dienst te willen.' Het lukt hem uiteindelijk. Tineke: 'Ik zal niet vergeten dat ik thuiskwam en mijn moeder zei: je raadt nooit wie ik nu aan de telefoon had: de secretaresse van de minister van Defensie.'

# 4.

# Kruispunt: priester, politicus of student?

## Het gedroomde theater van 'paus Pim'

Als jongen wil Pim paus worden. De Heilige Vader die hem tot deze beroepskeuze brengt, is de progressieve paus Johannes XXIII. Deze paus – Angelo Roncalli, voormalig patriarch van Venetië – wordt in 1958 na een conclaaf van vier dagen gekozen. Hoewel hij aanvankelijk wordt gezien als een tussenpaus, zet hij een vernieuwingsbeweging binnen de katholieke Kerk in gang. Dit spreekt zeer tot Pims verbeelding en zijn hele leven zal hij vol bewondering over Roncalli blijven spreken. Hij, katholieke jongen uit Nederland, voelt zich oprecht verbonden met zijn herder uit Rome. Fortuyn vat het later als volgt samen: 'Hij belichaamde een nieuwe tijd, heeft de ramen in de kerk opengezet. Dat was heel spannend.'

Johannes XXIII roept in 1959 het Tweede Vaticaans Concilie bijeen met de beroemde uitroep 'aggiornamento' ('bij de tijd brengen'). Dat is ook het woord dat Pim vaak gebruikt in de plakboeken[46] die hij moet bijhouden over het Concilie voor de godsdienstlessen. Hij doet het vol overtuiging en knipt uit de Volkskrant en de Katholieke Illustratie alles wat hij ziet. De vernieuwing die daarna in

de Kerk plaatsvindt, betekent dat de liturgie in de volks-
taal wordt toegestaan en dat de priester niet meer met
zijn rug naar de gelovigen hoeft te staan. De Kerk gaat
zich opener opstellen tegenover andere godsdiensten en
de katholieke Kerk neemt openlijk afstand van het anti-
semitisme met de verklaring *Nostra Aetate*.

Als de paus sterft, is Pim erg bedroefd. Hij noteert het
overlijden van Roncalli uiterst nauwgezet: om '11 minuten
voor 8'. In het plakboek schrijft hij: 'Dit koele koude en
toch zo onverwachte bericht klonk op de 2e pinksterdag
(3 juni 1963) tot ons via een kleine radio die we meegeno-
men hadden toen we gingen kamperen. Dit bericht betekende onze Paus Johannes XXIII is dood, onze Paus, de
Paus met wie wij allen meeleefden, de grote vernieuwer,
de man die een beroering in de kerk heeft gegeven, heeft
zijn laatste adem uitgeblazen onder de zegen van de cele-
brant die de mis op het Sint Pietersplein celebreerde.'

In zijn hart ruimt Pim een grote plaats in voor de kerk-
vorst. Plechtstatig schrijft hij: 'Op dit moment kruipt er
een sentimenteel gevoel bij me omhoog als ik aan deze figuur terugdenk. Deze Paus die voor ons allen zoveel betekende, die ons de nieuwe stromingen heeft opgeroepen, deze Paus is ook net als alle andere verdwenen in de
graftombe van de Sint Pieter.' De paus had voor zijn
overlijden cryptisch gewaarschuwd: er zal een onvermijdelijke reactie op de vernieuwingsdrift komen. Naast het
nieuwe zal 'ook het oude in de gaten gehouden moeten
worden'. Uit het epistel blijkt dat de vijftienjarige Pim
goed aanvoelt dat er vanaf de komst van de nieuwe paus
een restauratie binnen de katholieke Kerk in gang zal
worden gezet. Behoudzucht zal het winnen van hervor-

ming. Fortuyn: 'De nieuwe Paus heeft andere ideeën maar ook hij zal met Gods hulp op de juiste wijze het concilie leiden. De nieuwe Paus zal naar ik hoop door een wijs beleid weer een zekere rust in de nu zo roerige kerk terug brengen.'

Pim neemt afscheid van de gestorven paus met de voor hem ongekend zalvende woorden: 'Ik dank hem voor zijn concilie, ik dank voor zijn voorbeeldige manier van het geloof in God, ik dank hem omdat ik door hem het concilie zo intens beleefd heb. Verder bid ik de Heer onze God. Geef zijn ziel de eeuwige rust, het eeuwig licht verlichte hem, dat hij ruste in vrede.'

De invloed die Pim de paus toedicht, klopt wel. Deze paus zet met zijn Concilie een ongekend sterke vernieuwingsbeweging in gang, die de hele geloofsbeleving op zijn kop zet en de aanzet vormt tot grote veranderingen binnen de Nederlandse katholieke zuil. En de impact van het Concilie op Nederland is inderdaad groot. Er ontstaat een enorme polarisatie binnen de katholieke Kerk. Voorschriften van de paus worden door katholieken genegeerd en verworpen. Ideeën over celibaat, geboortebeperking en rechten van vrouwen worden niet langer geaccepteerd. Pim raakt steeds meer geïnteresseerd in de katholieke Kerk, zijn instituties en de wereldlijke macht van de Kerk.

De Nederlandse kerkprovincie wordt opstandig en Pim vindt dat eigenlijk wel mooi. Later zegt hij over deze periode dat er 'een nieuw en krachtig elan vaart door de Nederlandse Rooms Katholieke Kerk'.

Lovend is Pim ook over kardinaal Alfrink (1900-1987), die hij ziet als 'een krachtige man (...) die zich onmiddellijk plaatst aan het hoofd van het nieuwe denken in de katholieke Kerk van Nederland'. Hij zegt: 'Kardinaal Alfrink speelt ook een prominente rol op het Tweede Vaticaans Concilie, hetgeen ons vervult van gepaste trots.'

Wat Pim vooral raakt, is de interesse van de katholieke Kerk in de jonge generatie. Pim: 'Als pubers worden we in deze beweging voor vol aangezien en nemen we deel aan de debatten en geven we mee vorm aan de nieuwe inzichten inzake de katholieke liturgie. De kerk ontdekt de jongeren als volwaardige deelnemers in de gemeenschap van katholieken en geeft hen een grote stem. Dat houdt de vaart erin en doet hen enthousiast deelnemen aan het katholieke leven.'

De scholier Pim, actief binnen de plaatselijke kerk, mengt zich in discussies. Hij gaat deelnemen aan kerkelijke gespreksgroepen, die plaatsvinden op initiatief van de bisschop van Haarlem, Johannes Antonius Eduardus van Dodewaard (1913-1966). Deze man speelde een belangrijke rol bij het Concilie, waar hij deel uitmaakte van de invloedrijke theologische commissie. Dodewaard wil de daad bij het woord voegen en zet de hervormingen in zijn bisdom door. De praat- en gespreksgroepen zijn een rechtstreeks gevolg van het Concilie en via de parochieraden geeft hij de gelovigen een stem.

De gespreksgroepen in het bisdom Haarlem bestuderen de Heilige Schrift en de kerkgeschiedenis. In eerste instantie doet de bisschop zelf ook mee. Hij kan zich goed inleven in de kritische geluiden binnen de kerk en houdt de critici de hand boven het hoofd. Als studentenpater Van Kilsdonk kritiek uit op de curie en er vanuit Rome wordt geëist dat hij wordt gestraft, beschermt bisschop Dodewaard hem. Pim kent Van Kilsdonk goed vanwege zijn werk als pastoraal werker en hij is het niet eens met de beslissing van de bisschop. Hij vindt Van Kilsdonk maar 'een vreemde snoeshaan'. Als Van Kilsdonk een spreekverbod wordt opgelegd, gaat hij gewoon door met 'preken'. Pim keurt dit af en schrijft: 'In mijn opvatting is een spreekverbod een spreekverbod en niet een preekgebod.'

Pim stort zich als achttien- en negentienjarige vol overgave op de gespreksgroepen en hij schrijft er in de jaren zestig over in *Sursum Corda*,[47] het officiële parochieblad van het bisdom Haarlem. Dat is een braaf katholiek orgaan en zeker geen hemelbestormend blad. Maar in een tijd waarin democratisering in het katholieke leven weerklank begint te krijgen, maakt Pim direct gebruik van de mogelijkheid om frank en vrij kritiek te geven op de Haarlemse praat- en discussiegroepen. Hij schrijft een stuk over de 'zin en onzin van de gespreksgroepen' in de kerk. Hij vindt dat hij als jongere te weinig in de praatgroepen te zeggen heeft en klaagt over 'kwalijke bijverschijnselen van samenkomsten zoals een vorm van eenrichtingsverkeer waarbij onstuitbare praters elk gesprek – dat heen en weer zou moeten gaan – lam legden'.

Pim raakt hiermee een gevoelige snaar, want in het daaropvolgende nummer staan er direct hevige reacties in het anders zo bezadigde krantje. Er is een steunbetuiging van Th. Veeken uit Castricum, die zijn bewondering uitspreekt 'voor deze opbouwende stimulans voor gespreksgroepen'. Maar J. Oostelbos, die zijn reactie ondertekent met m.s.c. (congregatie van de missionarissen van het Heilig Hart), noemt Fortuyn 'somber' en veegt vervolgens de vloer aan met diens visie op de gespreks-groepen. Oostelbos stelt de gespreksgroepen voor als een natuurverschijnsel, dat vanzelf tot bedaren zal ko-men. Als gespreksgroepen voor het eerst samenkomen, vindt er altijd een 'dijkdoorbraak plaats van opgepotte zienswijzen'. Hij voegt eraan toe: 'Na het springtij vindt deze vloed vanzelf wel een bedding waar hij voortaan wat rustiger en heilzamer stroomt.' Een 'zekere soepele discipline' en niet te vergeten 'gebed en slotgebed' kun-nen de gesprekken in de discussiegroepen in betere ba-nen leiden.

Achteraf maakt Pim een scherts van de gespreksgroe-pen door te stellen dat hij als zeventienjarige voorzitter is van de 'praatgroep Huwelijk, gezin en seksualiteit' (NB: Pim was negentien!). 'Ik die nauwelijks beschik over eni-ge seksuele ervaring en het huwelijk en het gezin alleen ken als deelnemer, fungeer als voorzitter van een praat-groep waarbinnen de leeftijd van de deelnemers oploopt tot zo'n zestig jaar. Gekker kan het niet zijn: ik een snot-neus, lees mensen de les die reeds een huwelijk van meer hebben gepraktiseerd.' In de gespreksgroep wordt over allerlei seksuele onderwerpen gesproken: van de pil tot seks voor het huwelijk en masturbatie. Pim noemt de ge-spreksgroepen waaraan hij leiding geeft 'bizar': 'een voor-zitter die over deze thema's het hoogste woord voert, wiens ervaring met seksualiteit niet verder reikt dan een driemaal daagse afrukpartij en die enkele zaadlozing met een ander'. We moeten deze opmerkingen niet te serieus nemen. De emotionele context klopt waarschijnlijk beter dan de feitelijke. De gespreksgroepen waren voor hem een belangrijke gebeurtenis die hij heel serieus nam.

In huize Fortuyn wordt intussen de relatie met de kerk langzaam maar zeker anders. Broer Marten voelt zich niet meer katholiek en wordt verliefd op een joods meisje, Henriëtte (Jet) van Hoffen, met wie hij ruim een jaar later trouwt. Als Jet in de katholieke familie Fortuyn komt, wordt ze door Hein en Toos liefdevol en zonder problemen opgenomen. Pim is ceremoniemeester bij het huwelijk in 1966. In tegenstelling tot Marten blijven de zussen van Pim wel belijdend katholiek. Joos heeft het geloof nog niet helemaal afgezworen, maar neemt er een ander geloof bij: hij wordt een socialistisch revolutionair. Simon is nog te jong om een eigen koers te varen. Toos wordt steeds kritischer, maar vader Hein blijft trouw verbonden aan de Kerk en zijn instituties.

## 1963: de ramen gaan overal open

We gaan even terug naar het jaar 1963, in veel opzichten een gedenkwaardig jaar. Allereerst in Nederland, waar de populistische Boerenpartij van Hendrik Koekoek doorbreekt. Het is het eerste briesje populisme dat Nederland na de Tweede Wereldoorlog kent. De charismatische boer Koekoek verovert in 1963 drie zetels in de Tweede Kamer. De rebelse boer heeft een scherpe tong, verzet zich tegen de bestaande politieke orde en zoekt de confrontatie met politieke gezagsdragers. Daarin lijken hij en de latere Fortuyn op elkaar. Zijn Boerenpartij is echter nooit een echte bedreiging voor het politieke establishment.

Het is ook het jaar waarin de politieke en maatschappelijke bewustwording van Fortuyn voor het eerst zichtbaar wordt. Paus Johannes XXIII en John F. Kennedy geven de hartslag van hun tijd aan en de vijftienjarige volgt zoals gezegd nauwgezet de ontwikkelingen binnen de katholieke Kerk.

Maar 1963 is ook het jaar van de burgerrechten en de mars op Washington door Martin Luther King. Fortuyn bewaart zijn hele leven een overdruk van diens beroemde speech (*I have a dream*). De charismatische John F. Kennedy is een idool van Fortuyn en heeft die iconenstatus behouden tot Pims laatste snik. Hij belichaamt een nieuwe tijd en een nieuwe sfeer in een periode waarin een nieuwe generatie leiders van zich laat horen. Of zoals Kennedy het zelf zegt bij zijn inauguratie in 1960: 'Laat van dit ogenblik en van deze plaats naar vriend en vijand het woord uitgaan, dat de toorts is overgegaan op een nieuwe generatie Amerikanen, gehard door een oorlog, getuchtigd door een moeilijke en bittere vrede, trots op onze geschiedenis.'

Er zijn twee redenen waarom Kennedy Fortuyn zo fascineert. Allereerst is Kennedy katholiek. En niet zomaar katholiek, maar de eerste katholieke president van de Verenigde Staten. Daar identificeert Fortuyn zich mee. Zijn hele leven koestert Fortuyn het bidprentje van de vermoorde president dat hij kreeg bij de dood van de president. Er stond op: '*My Jesus have mercy on the soul of John Fitzgerald Kennedy. We have loved him during life, let us not abandon him, until we have conducted him by our prayers into the house of the Lord.*' Maar er is meer: de diepe overtuiging en innerlijke kracht van Kennedy spreken de jonge Fortuyn aan, de energieke stijl van de president. Hij is een knappe verschijning, heeft een mooie vrouw aan zijn zijde en is bovendien een onvervalste televisiepersoonlijkheid. Imago is een belangrijk onderdeel van zijn campagne en dat wordt het later ook voor Fortuyn. Fortuyn spreekt daarom graag over zijn 'icoon' en gebruikt hem in de grote speeches die hij zelf houdt, zoals bij zijn melodramatische afscheidsspeech als wetenschappelijk medewerker van het Sociologisch Instituut in Groningen in 1988. Pim is gefascineerd door Kennedy's gevecht voor vrijheid en politiek van burgerrechten. In feite doorbreekt Kennedy de politieke mores door zich daar in de Amerikaanse samenleving hard voor te maken. Het losbandige seksuele leven van de president werd in de jaren zestig toegedekt. Het komt pas decennia later naar buiten. Fortuyn zou niet geheimzinnig doen over zijn seksuele escapades en er juist heel openlijk voor uitkomen. Zijn politieke vijanden konden hem er niet mee chanteren.

Ook Kennedy's moed inspireert Fortuyn. 'Kennedy is een goed redenaar en werkt bewust met effecten.' Pim krijgt op school de inaugurele rede van Kennedy uitgereikt en die wordt op een bandrecorder afgespeeld tijdens de Engelse les – een novum in die tijd. Pim bewaart de speech gedurende zijn hele leven. In zijn autobiografie schrijft hij bewonderend: 'Geen wonder dat deze man onze man is. Een rede vol hoop en begrip, de moderniteit spettert ervan af en dat alles verbeeld door een mooie, jonge, vlotte, krachtige en vitale vent.' Pim schrijft later over Kennedy, die duizend dagen heeft geregeerd: 'Eind 1963 leek het allemaal reeds weer voorbij en kon het gewone leven weer zijn gang hernemen. Dat bleek bij nader inzien onjuist te zijn. Zij hadden juist slechts de opmaat gegeven voor nog grotere beroering.'

In zijn latere leven blijft Fortuyn de oud-president van Amerika memoreren als grote inspiratiebron. Eind jaren tachtig geeft hij hem de titel 'wereldburger'. En hier ligt de paradox van Fortuyns adoratie, want als er íets over Fortuyn kan worden gezegd, dan is het dat het wereldburgerschap, het kosmopolitisme, geen ijkpunt in zijn eigen politieke leven is geworden.

De dood van Kennedy maakt uiteraard een grote indruk op Pim Fortuyn, zoals op velen overal ter wereld. Jeugdvriend Eelco Graafsma: 'Op een vrijdagavond hadden we een wekelijkse verkennersbijeenkomst op de zolder van de Engelmundusschool. De aalmoezenier pater Paul Ritchie van het missiehuis uit Driehuis kwam om tien uur 's avonds naar onze zolder om te vertellen dat president Kennedy vermoord was.' Oud-rector Kletter van het Mendel kan zich nog goed herinneren dat pater Hutjens daags na de moord op John F. Kennedy in de hal van de school alle leerlingen en leraren verzamelt en vanaf de bovenste trede van het trappenhuis een rede uitspreekt, die in diepe stilte wordt aangehoord en op de hele school veel indruk maakt. In die rede gaat Hutjens met name in op het historische bezoek van Kennedy aan Berlijn waarbij de president de vermaarde woorden 'Ich bin ein Berliner' sprak. Een paar maanden later schrijft Hutjens troostende woorden aan zijn leerlingen over de dood van de president: 'John F. Kennedy de jonge Amerikaanse President werd in het begin van dit studiejaar laf vermoord. Dat was een belangrijk, hoogst belangrijk feit. Maar ook dit feit zal zich oplossen, vervagen en vervluchtigen in de wazige zee der geschiedenis.'

Als we de diverse helden van Pim Fortuyn bekijken op een gemeenschappelijk kenmerk, dan valt op dat ze allemaal vernieuwing belichamen, een etiket dat Pim Fortuyn later ook krijgt als opschudder van de traditionele politiek en criticaster van de heersende politieke mores. We zien 'lokale held' pater Hutjens, die het Mendelcollege meevoert een nieuwe tijd in, paus Johannes XXIII met zijn progressieve Concilie en John F. Kennedy die een persoonlijke, vernieuwende stijl van politiek bedrijven had, democratie een nieuwe inhoud gaf en in de VS een jonge generatie aansprak. Het zijn allemaal mannen die op hun eigen manier de ramen openzetten en die daarmee bij Pim een gevoelige snaar raakten. Kennedy, Pims jeugdheld, zou samen met Karl Marx en Joop den Uyl (de twee latere helden van sociologiestudent Pim) eind jaren negentig een speciale plek krijgen aan de muur van zijn Rotterdamse Palazzo di Pietro.

## Verkenner zoekt zijn weg

Zoals gezegd is Pim geen sportman, maar om hem wat van zijn overtollige energie kwijt te laten raken, sturen Toos en Hein hun achtjarige zoontje naar de katholieke padvinderij. In de bos- en duinrijke omgeving van de gemeente Velsen is dat een logische keuze. De katholieke jeugd sluit zich in die omgeving massaal bij de welpen en verkenners aan. Of zoals het in een brochure uit die dagen staat: 'Van het katholieke jeugdwerk, of dat nu voor kleinen of groten, voor meisjes of jongens is, kan een belangrijke werking uitgaan.'[48] Als jongetje komt Pim bij de welpen. Hij wordt lid van wat heet de Welpenhorde

St. Hubertus. Zus Tineke zal het tot akela schoppen en dus is hij welp bij zijn eigen zus. Tineke: 'Hij deed met alles mee en was heel erg enthousiast. Pim voelde zich als welp als een vis in het water. Hij vond het prachtig als de vlag werd gehesen en deed graag mee met spoorzoekertje. Hij was als welp heel correct. Ik hoefde hem nooit te berispen. Pim was heel trouw en deed alles keurig volgens de regeltjes.'

Katholieken gaan niet naar de padvinderij; ze worden verkenners. Dat was al in 1937 door het episcopaat van de katholieke Kerk bepaald om te vermijden dat katholieke kinderen actief zouden worden in organisaties waar de katholieke Kerk geen grip op had. Voor Pim zijn de zaterdagmiddagen bij de verkennerij heerlijke momenten, uurtjes waarin hij zich kan uitleven. Verkennerijactiviteiten zoals hutten bouwen, wandelen en kampvuurtjes maken zijn goed aan hem besteed. Boezemvriend Eelco Graafsma is ook verkenner en de twee zijn onafscheidelijk: 'De meeste kinderen stopten zo rond hun veertiende. Pim en ik vonden het leuk. We waren allebei patrouilleleider en werden daarom langzaam maar zeker betrokken bij de leiding. We mochten meehelpen bij speeldagen. We waren er intensief en fanatiek mee bezig. Pim was wel wat fanatieker dan ikzelf.'

De gesloten gemeenschap van jongens en jonge mannen spreekt Pim aan. Hij voelt zich dan nog geen homoseksueel, hoewel hij in zijn autobiografie aangeeft als verkenner een van zijn eerste homo-ervaringen te hebben gehad: tijdens een kamp, als ene Cees hem vraagt bij hem in zijn slaapzak te komen liggen: 'Cees pist mij zeiknat. (...) Ik raak daar danig opgewonden van, een opwinding die zijn apotheose vindt als hij tegen mij aan begint te wrijven. Onze pikken wrijven over elkaar heen en we komen tegelijkertijd schreeuwend klaar. Dat geeft enige consternatie in de slaapzaal.' Opmerkelijk: in die tijd ontkent Pim voor zichzelf heftige gevoelens voor andere mannen te hebben.

Eelco, met wie hij bij de verkennerij zo veel plezier heeft, kan zich niets herinneren van homoseksuele gevoelens bij Pim tijdens zijn tijd als verkenner: 'Totaal niet. Pim doet alsof hij vanaf zijn veertiende met homoseksualiteit bezig is geweest. Daar heb ik nooit iets van geweten. Misschien heb ik er geen oog voor gehad. We zijn samen wel met de fiets op vakantie geweest. Naar de Zuid-Hollandse eilanden. Ik heb er echt nooit iets van gemerkt.'

Pim doet het uitstekend als verkenner en hij maakt dan ook snel carrière: als puber wordt hij Rowan en later vaandrig. In de zomer van 1966 volgt hij een opleiding tot Gilwell, een uit Engeland afkomstige kadertraining voor verkenners. Pim is dan achttien jaar. In zijn biografie noemt hij dat de interessantste periode bij de verkenners: 'Het was een heel andere, opener sfeer, ver weg van huis. De cursusleiders waren veelal academisch gevormd en brachten je in een geheel andere wereld. Een wereld van objectiviteit en zakelijkheid die veel groter was dan Haarlem, dan Nederland, kortom de wereld.'

Naast traditionele verkennersactiviteiten als zwerftochten houden, kampvuren aanleggen en patrouille lopen zijn er typische katholieke elementen ingebouwd, zoals het spel hemeltje-hel-vagevuur. Pim schrijft: 'Iedere deelnemer gaat in de hemel staan en op een signaal van de spelleider probeert men elkaar naar de hel of het vagevuur te werken.' De katholieke verkenners hebben een 'wet en belofte'. Pim noteert: 'De wet van ons leven is die van het evangelie. Het uiteindelijk ideaal is worden van een volwassen christen. (...) Het geloof schept een verplichting. Maak het leven zo mooi en gelukkig mogelijk voor de ander. (...) De dood betekent voor ons geen einde van dit leven maar een begin van het nieuwe. In het midden van alles staat de verrijzenis van Christus. (...) Christelijk verkennen. Hij heeft God en dus het evangelie nodig om te kunnen leven, en zijn medemens te beminnen.'[49]

In Nederland werd de Gilwellcursus sinds de jaren twintig gegeven op de Ada Hoeve bij Ommen. Fortuyn doorloopt de cursussen met goed gevolg en is dan ook gerechtigd de begeerde Gilwellhalsdoek te dragen, die duifgrijs aan de buitenkant was (kleur van de nederigheid) en warmrood aan de binnenkant. In de punt van de halsdoek zat een Schots lapje in de kleuren van MacLaren, een van de grondleggers van Gilwell. Pim is een trotse verkenner die vol overgave meedoet aan de activiteiten en hij noteert zijn belevenissen nauwgezet in een bewaard gebleven dagboekje.[50] 'Vertrek vanaf de blokhut en loop naar het vennetje waarin we 's morgens altijd zwemmen. Zie van hieruit met behulp van de kaart en eventueel het kompas naar de Ada's hoeve te komen. In Ommen kun je foerageren. Op de Ada's hoeve is de beheerder, hopman Wijnmaalen. Hij kan je een heleboel vertellen over de omgeving,' schrijft hij in een verslag over de verkennerskampen waar hij als welpenleider optreedt.

Het is niet verwonderlijk dat Pim zo nadrukkelijk refereert aan hopman Wijnmaalen, een energieke man die Pim in zijn verslag 'zeer voorkomend' noemt. Wijnmaalen is een uiterst ondernemende hopman, later de eerste vaste beheerder van Ada's Hoeve. Hij stampt een groot aantal voorzieningen in de ruige bebossing rond Ommen uit de grond. Hij bouwt de kampvuurkuil, een kantoor en een magazijn, veelal bekostigd door de vermaarde actie Heitje voor een Karweitje. Pim is in zijn hikeverslag onder de indruk van de wijze waarop Wijnmaalen hem rondleidt en uitlegt waar de diverse kampterreinen hun naam aan te danken hebben. Pim schrijft: 'We krijgen een kleine naamsverklaring. Zoals het Roggeveld, hierop werd tijdens de oorlog rogge verbouwd. Het kleine Duivenbos, het bos waar de houtduiven zich genesteld hebben. Bloemendaal, hier kampeerden voor het eerst Bloemendaalse verkenners.'

Met uiterste precisie noteert Fortuyn de gebeurtenissen in zijn boekje. Maar zijn verslag zit vol fouten. Hij ziet op het kampement twee heel bijzondere totempalen 'met het symbool van dit land, de draak die zich langs de totempalen omhoog kronkelt'. Volgens Fortuyn zijn ze afkomstig uit Thailand en in 1927 door dit land geschonken. De realiteit is echter iets minder romantisch. Ten eerste is het symbool van Thailand niet de draak, maar de olifant, en ten tweede waren de totempalen overgeplaatst naar Vilsteren (bij Ommen) en afkomstig van het marktterrein in Vogelenzang. Deze plaats ligt vlak bij Haarlem en daar vond de Wereld Jamboree plaats in 1937. De totempalen zijn gemaakt door een Nederlander in opdracht van Heineken. De bierbrouwer had het Jamboreerestaurant gepacht en had het de naam De Twee Totems gegeven. Dit geeft natuurlijk te denken over hoe nauw Fortuyn het neemt met de exacte geschiedschrijving van zijn leven.

Ook in zijn biografie en in zijn dagboeken blijken details, herinneringen en feitelijkheden soms niet te kloppen. 'Een belachelijk voorbeeld van persoonsverheerlijking is de afdruk van een voetstap van B.P. die je in het park kunt aantreffen. Als je er zin in hebt kun je het gelukzalige moment mee maken dat jouw voet in de voetstap van B.P. past.' Die twee initialen zal de rechtgeaarde verkenner (of de padvinder!) onmiddellijk herkennen als de twee letters van hun grote leider: Baden-Powell. Uit het verslag van Pim lijkt het net alsof Baden-Powell zelf in de bossen van Ommen heeft rondgelopen. In werkelijkheid was de voetstap niet meer dan een replica van die in het oorspronkelijke Gilwellpark in Londen, die op zijn beurt weer een replica was.

Pim in padvinderskledij – broer Simon kan zich dat beeld nog helder voor de geest halen: 'Ja, daar stond Pim in vol ornaat voor hij op stap ging. Hoed op, sokken omhoog, keurig als een verkenner gekleed.' Pim zelf schrijft in zijn dagboekje op weg naar de Gilwellcursus voor verkennersleiders in Ommen een uitvoerige passage: 'Ben om half zes vanuit Driehuis naar Zwolle met de trein vertrokken. Dit was een reis met vele hindernissen o.a. werd ik voor een militair aangezien, wat moeilijkheden met zich meebracht betreffende het treinkaartje. Ook was het kampterrein erg moeilijk te vinden, kwam ik om plusminus 9 uur in den vreemde aan. We maakten gelijk enkele afspraken betreffende het komende kamp. O.a.

dat 50 procent van ons onderlinge contact afhing. Na nog wat gezellig bij elkaar te hebben gezeten gingen we uiteen. We hebben in de tent nog een flinke boom opgezet.'

Fortuyn schrijft ook over het bezoek aan Kasteel Rechteren in Ommen. Hij is daarbij vooral verwonderd over de dikte van de kasteelmuren: liefst één meter! Droogjes voegt hij eraan toe: 'Wij zijn helaas niet in staat geweest het slot van binnen te bekijken, dit was niet mogelijk omdat wij dan bij een van de directeuren van een der grote musea moesten zijn. Of toestemming van OK en W moesten hebben. Insturen in zesfout [sic]. Wij zijn toen maar in het gazon neergestreken en hebben bijgaande schetsen gemaakt.'

Pim wil binnen de strakke hiërarchie van de verkenners carrière maken. Hij slaagt glansrijk voor de Gilwell-trainingscursus en behaalt op 31 maart 1967 een officieel certificaat. Daarin staat dat hij heeft voldaan aan het theoretische en het praktische gedeelte van de cursus.

De verkennerij heeft een belangrijke uitwerking op Pim. Hij leert daar wat volharding is, hij doet nuttige leiderschapservaring op en niet onbelangrijk: hij heeft er lol. Vaandrig Fortuyn leert hoe hij zich (verbaal) moet weren binnen een groep. Het is ook een van de weinige keren in zijn leven dat hij echt een fysieke prestatie wil en moet leveren.

Maar het sprookje van de verkennerij loopt slecht af: uiteindelijk eindigt Pims leven bij de verkenners in onvrede en met een conflict. Pim wordt steeds kritischer jegens de hiërarchie. Hij vindt – volgens Eelco Graafsma – dat de verkenners zich moeten moderniseren, zich meer moeten aanpassen aan de tijdgeest, waarin democratise-

ring voorrang heeft boven autoritaire gezagsverhoudingen. Maar de verkenners zijn daar rond 1966 nog niet
aan toe. Begin jaren zeventig worden de confessionele
scheidslijnen pas opgeheven, maar Fortuyn heeft dan allang geen belangstelling meer voor de club uit zijn jeugd.
Eelco: 'We zijn daar samen opgegroeid en samen afge-
gaan omdat we bonje kregen. Het kwam erop neer dat
we als jongere vaandrigs iets te moderne ideeën hadden.
We vonden dat vijftien- en zestienjarigen wat losser
moesten worden gelaten en zelf moesten doen wat ze
wilden. Het is geëscaleerd met een oudere leider en toen
is het tot een breuk gekomen. Pim, de leidende van ons
twee, was het er van harte mee eens. Samen zijn we afgeserveerd.'

Praktische vaardigheden hebben de beide vrienden bij
de katholieke padvinderij genoeg geleerd. Ze leggen dan
ook in de tuin van huize Fortuyn een vijvertje aan en kopen vissen die ze erin rond laten zwemmen. Pim heeft bij
de verkenners al met al een heerlijke tijd gehad. Maar in
tegenstelling tot andere jeugdervaringen spelen de verkenners geen noemenswaardige rol meer in zijn verdere
leven. Hij komt er later nagenoeg – met uitzondering van
*Babyboomers* – niet meer op terug.

### Brief aan Schmelzer: Pims eerste politieke schreden (1967)

Fortuyn is als scholier ambitieus, maar geeft nooit blijk
van overmatige interesse in politiek – laat staan partijpolitiek. Des te onverwachter is daarom zijn brief in februari 1967 aan Norbert Schmelzer, de toenmalige fractielei-

der van de KVP in de Tweede Kamer. De Katholieke Volkspartij is in 1967 de dominante partij in het nationale politieke krachtenveld.

Vanzelfsprekend is de KVP in die jaren succesvol onder de eigen katholieke achterban en de partij lijkt in de Nederlandse politiek een onverwoestbare positie te hebben. Vanuit carrièreperspectief lijkt de KVP voor Pim in 1967 dan ook een uitstekende optie. De partij verovert na de oorlog sleutelposities in de diverse kabinetten: de katholiek Louis Beel is tweemaal minister-president en geldt als vicevoorzitter van de Raad van State (de onderkoning van Nederland) als buitengewoon invloedrijk. Ook andere premiers, Kamervoorzitters en burgemeesters zijn van KVP-huize. Vrij geruisloos veroveren de katholieken in de jaren zestig de meest invloedrijke posities binnen de politiek. In Velsen is de KVP traditioneel een sterke partij.

De timing van Pims brief is wat onhandig omdat Schmelzer in die dagen verwikkeld is in de formatie van het kabinet-De Jong. Fortuyn schrijft de, zoals hij zelf zegt, 'ervaren' politicus Schmelzer om te vragen 'wat de mogelijkheden zijn in 't algemeen en wat in het bijzonder de mogelijkheden in uw partij zijn'. Als motief voert hij slechts aan dat 'het na een studie van zes jaar noodzakelijk is dat hij nog een fatsoenlijke boterham kan verdienen'. Hij noemt geen enkel ideaal of drijfveer in zijn schrijven. Pim begrijpt dat Schmelzer het 'erg druk zal hebben', iets wat Schmelzer later, refererend aan de kabinetsformatie (waar hij middenin zit), beaamt.

De keuze van een nog niet gepolitiseerde Pim voor de Katholieke Volkspartij is een logische. Hij is katholiek, zijn vader hoort tot de lokale kieskring van de KVP en in 1967 is het nog niet erg gebruikelijk om over te stappen naar een andere partij. De 'doorbraak' waarbij katholieken naar sociaaldemocraten en liberalen overlopen en hun zuil verlaten, heeft geen invloed op huize Fortuyn. Het lag voor de hand dat Pim in zijn brief aan Schmelzer zou refereren aan zijn eigen katholieke afkomst, opvoeding en idealen, maar dat doet hij niet. Wel schrijft Pim dat hij van plan is om zich te gaan 'bekwamen in de politieke wetenschappen'. Het is de eerste en enige keer dat hij in een nagelaten brief de studie politicologie noemt.

Schmelzers antwoord op Pims brief laat ruim twee maanden op zich wachten: Pim verstuurt zijn schrijven op 13 maart en Schmelzer reageert pas op 29 mei ('De kabinetsformatie heeft mij helaas verhinderd mij eerder met Uw verzoek bezig te houden'). Hij geeft Pim dan het advies zich te laten informeren door Dr. A. Hoogerwerf van de VU, een in die dagen gezaghebbend sociaal wetenschapper. Opmerkelijk is dat Schmelzer in zijn reactie – tien jaar voor de vorming van het CDA! – aan Fortuyn antwoordt dat het 'onmogelijk is voorspellingen te doen over de situatie zoals die over zes jaar met name ten aanzien van de partijformatie zal zijn'.

Tijdens het wachten op antwoord is Pim ongeduldig en hij besluit meer visjes uit te werpen. Na de brief aan de fractievoorzitter gaat er amper vier weken later een nieuwe brief uit, ditmaal aan de Haarlemse bisschop Theodorus Henricus Johannes Zwartkruis (1909-1983). Na de plotselinge dood van Van Dodewaard is hij de nieuwe bisschop. Pim en jeugdvriend Eelco zijn samen eens bij hem op audiëntie geweest. Graafsma herinnert zich later vooral dat bij de bisschop een klein hondje op schoot zat; de bisschop had twee shelties, die luisterden naar de namen Graham en Ciske.

Shelties zijn iets groter dan de hondjes die Pim ruim drie decennia later zou hebben; Pims hondjes waren Cavalier King Charles-spaniëls: Kenneth en Carla. Deze hondjes staan bekend als een wat adellijker ras. Waarschijnlijk heeft Pim niet toevallig dit ras gekozen. Het is namelijk ook het ras waar de Amerikaanse president Reagan zich mee omringde. Het enige hondje waarmee Pim thuis opgroeide, was van het vuilnisbakkenras. Pim gaf hem de naam Napoleon.

Voorjaar 1967: Pim Fortuyn zit in de eindexamenklas, denkt aan zijn toekomst en heeft voorzichtig ingezet op het toekomstige ambt van politicus, maar de roeping van het priesterschap lonkt ook. Zijn wens om zijn ziel en zaligheid aan de kerk van Rome te geven is niet logisch in de ontkerkelijkte maatschappij, maar hij denkt er toch serieus over na. Op 9 april 1967 schrijft hij een persoonlijke brief aan de bisschop op zijn eigen briefpapier:

*Monseigneur,*
*Toen ik de eerste klas van de middelbare school bezocht,*
*rijpte in mij het plan om later priester te worden. Daar zijn*
*nu reeds vijf jaren overheen gegaan, en in deze jaren is het*
*plan bij mij tot een zekere rijping gekomen. De tijden wat*
*de geloofsbeleving betreft, zijn snel veranderd. (...) Ik heb*
*perioden gekend dat ik de gedachte aan een priesterschap*
*en zelfs de gedachte aan de R.K.-Kerk ver van mij afwierp.*

*Doch er is nu een groeiproces in mijn denken gaande en een*
*dwang in mij dat wil resulteren in een priesterschap.*[51]

De bisschop antwoordt per omgaande dat hij de brief heeft doorgestuurd aan de preses van het Groot Seminarie, dhr. J. de Graaff, afdeling Theologicum in Warmond. Op 29 april gaat Pim naar Warmond om over zijn toekomst als priester te praten. Van dat bezoek is door De Graaff een verslag gemaakt, waaruit blijkt dat Fortuyn zichzelf typeert als een 'jongeman die nogal vrij is opgevoed, uit een welgesteld gezin'. 'Pim schept nogal op over zijn milieu,' concludeert de directeur. 'Hij heeft zich op het Mendelcollege nogal sterk bewogen tussen de wat meer gefortuneerde jongens. In het gesprek blijkt, dat hij nogal gehecht is aan welstand.' Pim laat De Graaff weten dat hij 'eerst sociologie' wilde studeren en zich afvraagt of deze studie 'voor vervulling van zijn ambt van betekenis zou kunnen zijn'. In het gesprek met de preses komt de kritische Pim om de hoek kijken. Zonder zich nader te preciseren zegt Pim in keurige bewoordingen dat hij 'nogal wat bezwaren heeft tegen de huidige manier waarop het priesterschap verschijnt'. De Graaff oordeelt: 'Pim ziet een beetje neer op het seminarie vanwege de geslotenheid en wereldvreemdheid.'

Pims brief wordt wat sceptisch, maar mild ontvangen. De preses noteert (voor intern gebruik!) dat Fortuyn 'een wat erg' zelfbewuste indruk maakt, maar dat tijdens het gesprek blijkt dat dit zelfbewustzijn 'de camouflage voor (een) nog heel wat onzekere indruk' is. Pim 'vreest' dat zijn ouders 'niet erg enthousiast' zullen zijn over zijn priesterkeuze. En hij is ook bang voor het feit dat zijn familie pas een paar generaties katholiek is. 'Voorheen was het een domineesfamilie,' noteert het hoofd van het Groot Seminarie zuinigjes.

En dan komt tijdens het gesprek tussen Pim en de preses het cruciale thema celibaat aan de orde. In algemene zin worden priesters in spe in die tijd zeer slecht voorbereid op de 'grote beproeving' van het celibaat. Er wordt tijdens de priesteropleiding nauwelijks over gesproken; de celibaatsbeleving wordt aan de jonge mannen voorgesteld als een voorproefje van de maagdelijke staat waarin engelen verkeren. In feite worden ze daarmee het bos in gestuurd en krijgen ze te horen dat met bidden alles goed komt. Maar Pim heeft zich verdiept in de zwaarte van het celibaat en hij vertrouwt De Graaff toe dat 'hij zich tot nu toe heeft onthouden van nauwer contact met meisjes', en wel, zo voegt hij er heel cryptisch aan toe, 'om praktische redenen'.

Het celibaat is echt een heikel punt. Als we zijn autobiografisch werk *Babyboomers* mogen geloven, heeft Pim al de nodige seksuele ervaringen voordat hij zijn entree tot het priesterschap overweegt. Als hij priester wordt, dan is het celibaat – waarbij geen huwelijk en geen enkele vorm van seks zijn toegestaan – een loodzware last. En met de kennis die we nu van Fortuyn hebben, weten we dat dit een onmogelijke opgave voor hem was geweest. Maar als negentienjarige kijkt hij daar nog wat anders tegenaan en denkt hij zijn seksuele driften misschien wel in toom te kunnen houden.

De beslissing is moeilijk. Hij vraagt zich af: ga ik, Pim Fortuyn, de zwaarste beproeving binnen het priesterschap aanvaarden? Hij kent de verleidingen, weet dat hij tot rijpheid is gekomen, snapt dat de lusten en lasten zwaar op hem gaan drukken. Hij kent de straf die wacht bij overtreding van het priestergebod. Het noodlot tarten is gevaarlijk, want dan volgen hel en verdoemenis. Dat zijn de keerzijden. Wat hem aanspreekt, zijn het leidinggeven aan een geloofsgemeenschap, de morele opdracht en de solitaire kant van het priesterambt. Pim verzint een mooie reden waarom hij zich aan het celibaat heeft gehouden: 'Wanneer je op de universiteit komt, gaat dat helemaal grote moeilijkheden geven als je getrouwd bent.'

Uiteindelijk is de conclusie van De Graaff dat Pim een 'aanvankelijk wat gereserveerde jongen is'. Hij vindt Pim 'gevoelig', maar de boeiendste ontdekking van de directeur is dat 'hij nogal wat volwassen vrienden heeft, zoals hij het noemt'. Een van hen is pater Hutjens, die momenteel bij de deken verblijft. Als de preses op 24 mei een brief aan Pim schrijft waaruit blijkt dat Pim serieus kans maakt om aangenomen te worden, lijkt Pim verrast. Zo ver is hij zelf kennelijk nog niet. Hij antwoordt voorzichtig met de mededeling dat hij pas na 2 juni kan antwoorden omdat hij 'tot over zijn oren in het werk zit'. Op 9 juni komt het zuinige antwoord. Pim werkt inmiddels bij staalfabriek de Hoogovens als vakantiewerker om, zoals hij schrijft, 'een kleine voorraad aan contanten te vormen voor het komende studiejaar'. Pim (de vragende partij!) verlangt nu van De Graaff dat hij naar Haarlem komt om af te spreken.

De Graaff komt niet en neemt nu ook zijn tijd: hij verzoekt Pim om op 23 juni naar Warmond te komen. Intussen zit de preses niet stil. Hij gaat op zoek naar Pims levenswandel en komt terecht bij – natuurlijk – pater Hutjens. Voorafgaand aan de ontmoeting met Pim heeft De Graaff op 15 juni een langdurig telefoongesprek met de pater om de priesterkandidaat Pim Fortuyn door te lichten. En dat gebeurt grondig. Pater Hutjens zegt tegen de preses: 'Het is een jongen die honderd procent oké is, die het echt eerlijk meent, een beste jongen, maar het eigenaardige is: hij heeft nooit aansluiting bij andere jongens kunnen vinden. Het is een beetje een buitenbeentje. Ik mocht hem altijd erg graag. (...) Maar hij heeft nooit een vriendenkring om zich heen gehad.'

Maar Pater Hutjens wijst ook op de bemiddelende kwaliteiten van Pim (een eigenschap waar hij later als student ook over blijkt te beschikken): 'Als er moeilijkheden waren, kwamen ze bij hem. Dan ging hij weer wat praten met de leraar en de rector en dan stond ie weer alleen.' Hutjens looft Pim: 'Een keurige jongen, keurig, keurig!' En: 'Hij schijnt uitgesproken meningen te hebben en botst telkens.' De preses vraagt zich af of Pim de 'eenvoud van het priesterleven' wel aankan; Hutjens ontwijkt de vraag zorgvuldig.

Hij relativeert wel de rijkdom van de familie Fortuyn. 'Ze wonen niet in een villa en hebben geen twee auto's. (...) Hij maakt wel eens de indruk van een opschepper maar dat is hij niet! Hij is heel eerlijk.' Als de preses Pim prijst om zijn inzet als verkenner, geeft Hutjens onverwacht tegengas: 'Ja, maar daar is ie weer uitgezet op de een of andere manier: hij botst toch telkens. Ik heb hem persoonlijk erg graag gemogen, erg graag, maar ik moet u toegeven: in contact met anderen komen er botsingen – dan is er geen aansluiting.' Hutjens adviseert de preses om Pim pragmatisch aan te pakken en hem eerst maar gewoon sociologie te laten studeren.

Pims finale gesprek met preses De Graaff volgt dan eindelijk op 23 juni in Warmond. Uit het verslag blijkt dat De Graaff hem oprecht ter wille is en hem waarschuwt voor de theologiestudie omdat dat maatschappelijke consequenties heeft en de weg naar andere beroepen afsnijdt. Pim op zijn beurt verklaart tegenover De Graaff dat hij 'helemaal nog niet klaar is met de celibaatsvraag en zich daarom liever wat vrij zou opstellen'.

Nog geen zeven dagen later denkt hij er weer anders over. In een nieuwe brief aan de preses zegt hij: 'Een mens moet trachten het geluk in zijn leven te vinden. En ik voel dat ik niet gelukkig en vooral gerust zou kunnen leven indien ik de drang in mij (die we misschien roeping kunnen noemen) niet zou beantwoorden.' Op papier maakt hij zijn beslissing kenbaar – hij denkt celibatair te kunnen leven: 'Ik geloof het offer van het celibaat te moeten brengen om het geluk te verwerven, het welke dan in staat zou zijn om het celibaat tot een draaglijk en aanvaardbaar offer te maken.' Pim heeft inmiddels een aantal pauselijke encyclieken aangeschaft, die hij uitvoerig gaat bestuderen.

Bij een kritische passage over het maken van winst als de voornaamste prikkel tot economische vooruitgang en de vrije concurrentie als de hoogste wet van de economie schrijft hij driftig 'veroordeling kapitalisme' en 'activering socialisme'. Pim is ook kritisch over missionarissen. In de kantlijn noteert hij: 'Kongo is het levend bewijs van slechte missionarissen. Bijna iedere missionaris trachtte het Europa van zijn jeugd over te poten in Afrika! Alleen al de methoden van liturgie zijn zuiver Romeins en hebben niets met de Afrikaanse mentaliteit van doen. Het is in de lage landen van Europa moeilijk begrip voor deze liturgie op te brengen, laat staan in Afrika.'

Hij studeert ook uitvoerig op de beroemde encycliek *Mit Brennender Sorge* over de toestand van de katholieke Kerk in Duitsland uit 1937, op de omstreden encycliek *Humanae Vitae* over geboorteregeling (die voorbehoedsmiddelen verbiedt) en op *Ecclesia Docens* over het priestercelibaat. Die laatste ziet zwart van de kritische, veelvuldige onderstrepingen, ironische en soms verontwaardigde opmerkingen in de kantlijn. 'Hoogmoedig' is zijn verwijt aan de kerk als er staat geschreven: 'De zware en tevens aangename verplichting op zich nemen van de priesterlijke kuisheid als de volledige wegschenking van zichzelf aan Christus en zijn kerk.' Hij zet 'schandelijk' bij een passage over 'de pijnlijke verantwoordelijkheid'. Pim krast driftig in de tekst en windt zich bij sommige passages op, zoals bij: 'Ze beleven hun celibaat met een moedige ernst, met een blijde spiritualiteit met volmaakte gaafheid en met een zekere gemakkelijkheid'. De kritische Pim schrijft daarbij: 'Hoe kunnen zij zulke gaven waarderen als zij ze nog nooit in de praktijk gekend hebben?' Ook de stelling dat het celibaat tot een rijkere persoonlijkheid leidt wijst Pim resoluut van de hand: 'Dit zo algemeen te stellen is op zijn minst onzinnig.'

Moet Pim wel of geen priester worden? Deze levenskwestie blijft hem kwellen. Er liggen nogal wat paradoxen die zijn avontuur hachelijk kunnen maken. In de eerste plaats is er de katholieke Kerk die in weerwil van het Concilie toch star is gebleven. De Kerk moet niets hebben van jonge vrijdenkers en hun intellectueel, zelf-standig denken. In het verlengde daarvan de hiërarchisch rooms-katholieke Kerk versus het *enfant terrible* – de ei-genwijze, eerlijke maar ook eenzame Pim. De preses heeft na het telefoongesprek opnieuw actie onderno-men. Hij is informatie gaan inwinnen bij de parochie van Pim in Driehuis. De Graaff ontvangt een schriftelijk ant-woord van H.J. Leenden, die niet erg positief is. De Graaff krijgt te horen dat Pim bij de gespreksgroepen goed heeft gefunctioneerd en als jeugdleider ook be-kwaam was. Dan komt de eerste 'maar': 'Pim is niet ge-zien bij de jongens en zeer moeilijk in de samenwerking met leiders, iets van een dominator.' En Leenden komt met een insinuerende mededeling: 'Merkwaardig dat ik zelf een zijige indruk van hem heb.' De opmerking dat Pim 'zijig' is wordt niet verder uitgewerkt, maar voor de hand ligt dat hiermee omzichtig geduid wordt op zijn la-tente homoseksualiteit. Ook wordt en passant nog even gemeld dat Pims familie 'een moeilijke familie is (...) ter-wijl een broer van hem zijn geloof kwijt schijnt te zijn'. De bron geeft schriftelijk toe te 'roddelen' en komt met zijn conclusie: 'Samenvattend: ik ben niet enthousiast, doch zou hem een kans willen geven.'

Op dezelfde dag schrijft Pim een brief aan de preses. 'Dit is een onweerstaanbare drang in mij. Echter tussen mijn roeping en de uitvoering daarvan is een onover-koombare barrière geplaatst: het celibaat.' (Brief Pim Fortuyn aan preses W.J. de Graaff: 7 juli 1967.) Pim vertelt in zijn brief dat hij de afgelopen dagen niet heeft stilgeze-ten en met veel mensen heeft gesproken. 'Vooral jonge mensen.' Ook vertelt hij dat hij de encyclieken heeft

Foto gemaakt op 16 augustus 1938, de dag dat Hein en Toos, Pims ouders, in het huwelijk traden in Beverwijk, de stad waar Pims moeder opgroeide.

Met grote vreugde en dankbaarheid aan God geven wij U kennis van de geboorte van onze zoon en broertje

*Pim*

Bij het H. Doopsel ontving hij de namen van

*Wilhelmus Simon Petrus*

H. C. FORTUIJN
J. E. FORTUIJN-
DE WEIJER
TINEKE
MARTIN

VELSEN, 19 Februari 1948.
Stationsweg 105 rood.

Een wiegje met in de top het kruis van Christus. Een zusje en broertje turen over de rand naar hun pasgeboren broertje.

Het gezin Fortuyn in 1951. Kleine Pim kijkt stug voor zich uit, een klein, timide en schuw jongetje. Marten Fortuyn: 'Pim was een stille, hij was niet druk. Eigenlijk was hij een zeer bedachtzaam jongetje.'

1958. In de tuin van de ouderlijke woning in Driehuis. De verhuizing van Velsen-Zuid naar het 'saaie' Driehuis noemde Pim 'een bijna traumatische ervaring'. Als jongetje had hij lang het idee nergens bij te horen. 'Ik dacht al heel vroeg: ik ben een bijzonder iemand.[...] Het gevoel alleen te staan ken ik al van jongs af aan.' Op latere leeftijd vertelt hij voor het eerst aan publicist Jan Brands over zijn eenzame jeugd: 'Als jongetje van zeven had ik een paar vriendjes die van voetballen hielden. Ik dus niet.' Op deze foto als tienjarige ziet hij er al veel zelfbewuster uit en oogt hij als een kleine dandy.

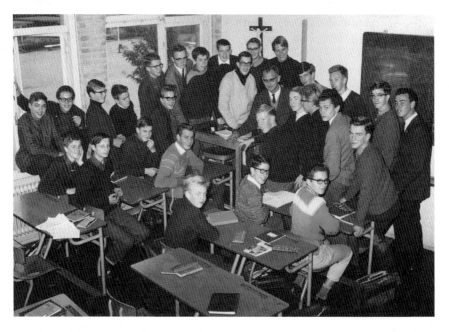

Foto van klas 3d op het katholieke Mendelcollege in Haarlem. Zevende van links: Pim (met hand onder de kin). Links van het schoolbord hangt een crucifix.

Het huwelijk van broer Marten en Jet op 7 oktober 1966 in Leeuwarden. Het bruidspaar samen met ceremonie-meester Pim.

Pim als ceremoniemeester op het huwelijk van Marten en Jet in Leeuwarden, 7 oktober 1966. De foto is geno-men voor Jets ouderlijk huis.

Januari 1967 op het Haarlemse Mendelcollege. Bij het plechtige afscheid van zijn leermeester pater-rector Hutjens zit de keurig geklede Pim op de eerste rang. Links de pater-rector, rechts eregast monseigneur Zwartkruis, bisschop van Haarlem.

Pim met op schoot zijn petekind Marieke, de dochter van zus Tineke.

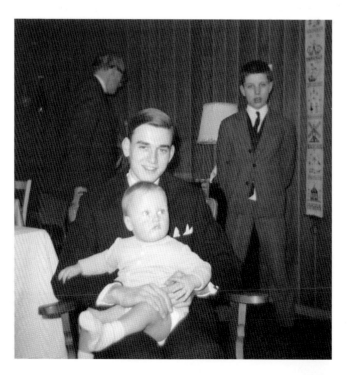

Pasfoto, gemaakt om-
streeks 1969. Pim laat als
jonge student snor en
baard staan.

Thuis bij Marten en Jet in Santpoort-Noord (1969). Pim in galakostuum vlak
voor een première in de stadsschouwburg in Haarlem. Links van hem zit Jet
Fortuyn en rechts kennis Anneke Riphagen.

Op vakantie met vader Hein in 1970. Pim oefent 'at your service'.

Pim Fortuyn in zijn linkse periode begin jaren zeventig, met Che Guevara-petje en -baard.

Als docent aan het Sociologisch Instituut in Groningen (1972) tijdens een les over marxistische theorie. Pim heeft zijn kleding aangepast. Zijn colleges waren door zijn gepassioneerde manier van lesgeven druk bezocht. Wie niet meedeed of afgeleid werd kon op een stevige uitbrander rekenen.

Eind jaren zestig: trotse peetvader Pim in Driehuis op de P.C. Hooftlaan met moeder Toos, zuster Tineke en kleine Marieke.

doorgeworsteld. Hij wijst erop dat een rel met 'uw studenten' zijn aandacht heeft gekregen (er was op dat moment een conflict op de priesteropleiding in Warmond). Hij geeft nog een keer aan zich dolgraag te willen ontplooien tot een 'goed en enthousiast priester': 'Dit is een bijna onweerstaanbare drang in mij.'

Maar dan maakt Pim zijn definitieve besluit aan de preses voor eens en voor altijd duidelijk: 'Er is een onoverkoombare barrière geplaatst, namelijk het celibaat. In geen enkele zin kan ik het celibaat in mijn leven plaatsen, temeer daar ik domweg niet inzie waarom ik me levenslang moet ontworstelen aan een normaal menselijke groei. Ik zie niet in waarom ik niet mét vrouwen en kinderen een goed en zo mogelijk nog beter priester zou zijn.' Pim is verontwaardigd dat de encycliek geen enkel begrip voor de niet-celibataire priester toont. 'Ik hoop dat u mijn standpunt in deze [sic] aan de bisschoppen zult overbrengen.'

Pim bedenkt een nieuwe stap. Hij wil dat de bisschoppen de celibaatkwestie bij de paus aankaarten: 'Nederland vaart nu eenmaal een andere koers dan Rome, Italië of Latijns-Amerika.' Pim, verbijsterd: 'Hoe is het mogelijk dat de encycliek nog als gesneden koek aanvaard wordt? Ik hoop dan ook dat de Nederlandse bisschoppen eens een wat krachtiger geluid laten horen en dat zij eens zullen bewijzen dat zij ook tot zelfstandig denken in staat zijn.' Hij begrijpt 'de hiërarchische verhoudingen' binnen de kerk van Christus, maar vreest dat als het celibaat niet wordt afgeschaft 'binnen niet al te lange tijd de Nederlandse katholieke Kerk op één oor ligt'. Dan zegt hij lichtelijk pathetisch: 'Want het denken gaat door.'

De man die net afstand heeft genomen van zijn lang gekoesterde ambities, eindigt zijn brief met het bedanken van de preses voor alle gedane moeite. 'PS: Ik hoop dat de tijd (...) het litteken in mij zal verdwijnen.' De preses stuurt op 11 juli een 'amice'-brief terug aan Pim, aardig en oprecht: 'Ik kan je niet anders zeggen, dan dat ik je besluit ten volle respecteer. Het gaat hier om een beslissing, die allereerst in vrijheid moet genomen worden. Wél zou ik in je eigenbelang willen aanraden, te proberen het idee om priester te willen worden, nu zo gauw mogelijk los te laten. Het zou je anders een vervelende en misschien langdurige frustratie bezorgen. Tenslotte kan je de mensheid op vele manieren dienen en vooral waar dit gebeurt vanuit een christelijke inspiratie, is dit een vorm van kerkelijk functioneren. Daarvoor behoef je beslist geen priester te zijn. Beste Pim, wat betreft je verdere beschouwingen over de celibaatswet, ik heb deze maar niet doorgegeven aan de bisschop. (...) Ik zal de bisschop wel t.z.t. laten weten dat je om deze reden op je besluit terug bent gekomen. Ik heb ons contact erg plezierig gevonden. En ik hoop van harte dat je, wellicht in overleg met pater Hutjens, tot een weg komt waarlangs je tot een echt gelukkig mens kunt uitgroeien.'

Pims gevoelens over het celibaat en zijn priesterwens zijn als water en vuur. Hij zou de opgave van het celibaat als tegennatuurlijk hebben ervaren en hij wil zijn strijd tegen 'de duivel' en 'het vlees' niet afwachten omdat hij weet dat hij deze niet zou winnen. In *Babyboomers* tekende Pim (later) onomwonden op dat hij zich als priester nooit aan de celibaatsverplichting had kunnen houden: 'En ja, het celibaat betekende ook niet masturberen, en dat deed ik zo vaak dat dat nog een hele dobber zou wor-den.' Met zijn uiteindelijke 'nee' met zijn visie op het celi-baat als reden staat hij niet alleen.

Pims twijfels en uiteindelijke afwijzing van het celibaat passen in de tijd. Over het celibaat zijn in die jaren in Ne-derland grote debatten gaande. Nog geen halfjaar later is katholiek Nederland in rep en roer als in januari 1968 de plenaire zittingen van het Pastoraal Concilie (geïnspi-reerd op het Tweede Vaticaans Concilie) in Noordwij-kerhout beginnen. Priesters en leken komen daar onder leiding van Piet Steenkamp (de latere oprichter van het CDA) bijeen. Eindeloos wordt er over het celibaat gede-batteerd. Een steeds kleiner wordend deel van de pries-ters wil gehoorzamen aan de kerkelijke wetgeving. Kar-dinaal Alfrink ontvangt tijdens het Pastoraal Concilie een schrijven uit Rome waarin gehoorzaamheid aan het celibaat wordt geëist. De celibaatsverplichting zou uit-eindelijk door de aanwezigen in Noordwijkerhout wor-den weggestemd.

Daarnaast is er in de jaren zestig rond de kwestie van het celibaat nóg een markante gebeurtenis. In december 1968 vindt namelijk in Hotel Americain in Amsterdam een bijeenkomst plaats van 73 priesters. Zij willen dat in bepaalde parochies de mogelijkheid wordt gecreëerd dat getrouwde priesters hun ambt kunnen uitoefenen. De priestergroep neemt de naam Septuagint aan. Die bena-ming verwijst naar de 72 geleerden die vanaf 300 jaar voor Christus het Oude Testament in het Grieks vertaal-den, de zogenaamde Septuagintvertaling.

Hoewel de beminnelijke bisschop Zwartkruis aanvan-kelijk de dialoog met de Septuagintgroep wil aangaan, kan hij niet om de macht en permissie van Rome heen. Hij mag niet toestemmen in het verzoek. Daarop verlaat een groot aantal priesters de kerk en worden andere in de ban gedaan.

Een van hen is de bekende priester Huub Oosterhuis, die ook de liturgie probeerde te moderniseren. Pim voelt zich overigens niet door Oosterhuis aangesproken, hij maakt hem in zijn biografie een fel verwijt vanwege 'het produceren van een ware diarree aan kwezelachtige liederen'. Met het celibaat heeft Pim grote moeite, maar in het veranderen van de katholieke liturgie zag hij niets: 'Door al dit gedoe verdwijnt het mystieke karakter van de mis en de liturgie in hoog tempo. Wat kunnen die teksten waanzinnig stompzinnig zijn als ze niet in het Latijn, maar in het Nederlands worden gezegd.' De *show must go on* was Pims visie. Vorm voor alles.

Later geeft Pim zelf aan dat zijn moeder een beslissende invloed heeft gehad op zijn beslissing om geen priester te worden. Daarnaast raakt hij geïnteresseerd in de God is dood-theologie. 'Dat vond ik fascinerend. Ik kwam tot de conclusie dat God tussen de mensen zit. Als je dat vindt, hoef je geen theologie te studeren.' In *Babyboomers* schreef Pim een passage over het opgeven van zijn ambitie om priester te worden: 'Na een korte maar hevige worsteling kom ik tot de conclusie dat God voor mij niet bestaat en dat ik, als ik niet in de grote baas geloof, ook geen priester hoef te worden.' Dit is een van de weinige keren dat Pim zich uitlaat over een al dan niet aanwezige band met God of Jezus Christus. Pim voelt zich zijn hele leven verreweg het meest verbonden met moeder Maria.

Waarom Pim zich zo aangetrokken voelde tot het priesterschap is deels ook te herleiden tot de macht en het theater van de katholieke Kerk. Als priester zou hij een eerste stap hebben weten te maken binnen de strikt hiërarchische katholieke verhoudingen. Zijn ambitie lag immers verder: bisschop, kardinaal en dan paus. Hij droomde van het schijnbaar onmogelijke – of het hoogst haalbare – in de katholieke kosmos. Uiteindelijk besluit hij geen carrière te maken in Rome: Pim geeft in 1967 als negentienjarige zijn ambitie om priester te worden op. Op dat moment neemt hij afstand van de katholieke Kerk. Hij zweert het geloof niet af, zal later vrijwel nooit openlijk afgeven op de Kerk, maar zijn band met het instituut wordt losser en steeds vrijblijvender. Langzaam maar zeker wordt Pim een seculiere katholiek, zoals zo velen in die tijd.

Later geeft Pim blijk van zijn teleurstelling: 'Achteraf is de geloofsvernieuwing in de jaren zestig uitgelopen op een grote deceptie. Het was niet het begin van een nieuwe fase in het katholieke leven, maar de eindfase, het slotakkoord van het Rijke Roomsche Leven en het begin van de grote ontkerkelijking onder de Nederlandse Rooms Katholieken. Het is het einde geworden van de katholieke zuil in alle opzichten.'[52]

Geen priester, maar wat dan wel? Het wordt uiteindelijk toch de studie sociologie in Amsterdam. Nu komt Schmelzer hem weer van pas. In zijn autobiografie *Babyboomers* dikt hij het advies van de KVP-leider erg aan: 'Ik ga sociologie studeren aan de GU. (...) Doe dat op persoonlijk advies van Norbert Schmelzer, de fractievoorzitter van de KVP. Hij raadt mij aan om in dat geval te kiezen uit politicologie, sociologie of economie. Ik besluit sociologie te kiezen. Dat is een modern vak en het gaat over mensen in hun onderlinge relaties, dus dat lijkt me wel wat. Economie kan altijd later nog. Ik zal op kamers gaan.' Uit de brief van Schmelzer blijkt echter dat hij Pim geen expliciete keuze voor welke studievak dan ook heeft aangeraden.

Pim verlaat het ouderlijk huis aan de P.C. Hooftlaan in Driehuis aan het einde van de zomer in 1967 en belandt in de P.C. Hooftstraat in Amsterdam.[53] Hoewel hij in zijn verdere leven nooit veel hart voor de hoofdstad heeft, ligt de keus voor de hand. De stad is maar een halfuurtje treinen vanaf Driehuis. Bovendien is Amsterdam een sprankelende studiestad, waar van alles gaande is: van de provo's tot een bloeiend cultureel leven. Hij woont op een kamertje boven de modewinkel van couturier Edgar Vos. De 'PC' is dan nog niet de mondaine straat die het jaren later zal worden, maar een ietwat slaperige winkelstraat in Amsterdam-Zuid. Pim heeft de woning gevonden via – hoe kan het anders – tante Flos. Erg lang woont hij er niet, want twee maanden later verkast hij naar het J.W. Brouwerplein, vlak bij het Concertgebouw.[54]

# 5.
# Studeren aan de VU, feesten bij Thomas en actievoeren in de Amsterdamse Jordaan, 1967-1972

Toos en Hein zijn apetrots: als eerste kind van de familie Fortuyn mag Pim naar de universiteit. Hij behoort – zonder het zich waarschijnlijk zelf te realiseren – tot de voorhoede van een generatie studenten die uit doorsneegezinnen kwamen. Want tot diep in de jaren vijftig is studeren vooral voorbehouden aan de kinderen van welgestelden. Voor Pim is sociologie niet meer dan logisch nadat hij heeft afgezien van het priesterschap. Hij voelt zich tegenover de andere kinderen van het gezin superieur en steekt dat bepaald niet onder stoelen of banken. Ooms en tantes uit de Zaanstreek en tante Rie uit Haarlem volgen Pims verrichtingen.

Vader Hein geeft zijn zoon een royale bijdrage om te gaan studeren, volgens Pim liefst 700 gulden[55] per maand, wat in die tijd voor een student een heel mooi bedrag is, zeker gezien het feit dat Pim alle tijd had om wat geld bij te verdienen met de volop beschikbare bijbaantjes.

Sociologiedocent Berting zegt op het eerste college tegen de eerstejaars dat ze goed naar hun buurman in de collegebanken moeten kijken. De helft van de aanwezigen, zo voorspelt Berting, zal spoedig van de faculteit verdwenen zijn. Pim kan de grap van de docent geenszins waarderen en zal deze opmerking altijd blijven aanvoeren als reden voor zijn vertrek van de Gemeentelijke Universiteit (de voorloper van de Universiteit van Amsterdam). Maar de echte reden is dat de massaliteit van de sociologieopleiding aan de GU hem niet bevalt. Net zo snel als hij van woning is veranderd, gaat hij ook van de Gemeentelijke naar de Vrije Universiteit.

Nog even probeert hij de studie scheikunde, maar vooral de proeven in het laboratorium vindt hij maar niks. De VU telt slechts veertig studenten sociologie. Het in die tijd wat stoffige instituut bewandelt de wat traditionelere wegen in het studievak en de meeste studenten kiezen voor de als dynamisch bekendstaande sociologieopleiding aan de GU. Sociologie is in de jaren zestig en zeventig een echte modestudie. De universiteitsbanken in de collegezalen van sociologie puilen uit, want duizenden jongeren kiezen voor deze studie. De maakbare samenleving viert hoogtij en menigeen ziet in de sociologie een methode om de maatschappij te verbeteren, liefst in linkse zin. Veel studenten voelen zich verwant met de maatschappijkritische wetenschap en onder de theoretische sociologen in het docentenkorps zijn er velen met een kritische blik op het kapitalisme.

Pim loopt door zijn valse start nauwelijks achterstand op. De overstap naar de protestantse Vrije Universiteit blijkt al snel een succes. Hoewel Pim een paap onder de mannenbroeders is, vindt hij er snel zijn draai. Het levert eigenlijk verrassend weinig problemen op dat hij als katholiek aan de Vrije Universiteit gaat studeren. Nogal wat anderen zijn hem voorgegaan. Het is misschien ook geen echte kwestie meer. De toenmalige student sociologie, studentenvoorman en vriend van Pim, Ton Kee: 'Voor de gereformeerden was de VU hun thuis; voor de rooms-katholieken natuurlijk niet.' Zij 'hoorden' naar Nijmegen en Tilburg te gaan. Toch komen er in de loop van de jaren zestig steeds meer katholieke studenten aan de VU, onder anderen veel ex-seminaristen die het geloof hadden verloren, vaak mede door hun seminarie-ervaringen. Het is sowieso een tijd met veel afvalligen qua geloof. Dat geldt zowel voor rooms-katholieken als voor protestanten.

De keuze voor de VU door rooms-katholieken is in die tijd meestal vrij pragmatisch: een kwestie van nabijheid. Randstedelijke rooms-katholieken hebben vaak geen zin om naar de 'provincie' te gaan. Daardoor krijgt ook de VU veel katholieke studenten. Kenmerkend voor de VU in die jaren is dat het docentenkorps vrijwel volledig uit protestanten bestaat. Pas vanaf 1970 dringen mensen van andere denominaties tot die geleding door. Docenten moeten in die tijd ook de grondslag onderschrijven, en die is weliswaar algemeen christelijk geformuleerd maar met een protestantse toon.

Als Pim aan de VU begint, moet hij nog meedoen met een aloude traditie: als de hoogleraar de collegezaal betreedt, moeten de studenten opstaan. Na Pims eerste studiejaar sneuvelt dit gebruik. Het is volgens Pim 'heel gewoon' dat medewerkers van de universiteit 'in de zaal zaten om het collegedictaat te maken voor de heer professor. Die sprak zijn rede uit, de medewerker noteerde dat en vervolgens werd dat verwerkt in een boek of naslagwerk. Zo waren de verhoudingen.'[56]

De universiteit is halverwege de jaren zestig in rep en

roer. De massale toeloop van studenten, de schaalvergroting en de roep om democratisering geven de universiteit een ander karakter. Er ontstaan autoriteitsconflicten tussen hoogleraren, docenten en studenten. De hoogleraar als koning in zijn eigen koninkrijk is niet meer. De tijd dat er wordt gestudeerd in kleine faculteitsgebouwen en dat beginnende studenten individueel examen kunnen doen bij hoogleraren, is voorgoed voorbij.

In het begin vindt Pim de studie sociologie 'uitgesproken saai'. Mede daarom schrijft hij zich in bij de katholieke studentenvereniging Sanctus Thomas Aquinas, een Amsterdamse katholieke gezelligheidsvereniging met studenten van zowel de VU als de GU. Hij maakt in deze corporale omgeving het nodige mee: een drie weken durende ontgroening, kroegfestijnen, galadiners en bals in rokkostuum. En dan is er nog het traditionele biergevecht met de leden van het VU-Corps op het Museumplein met als inzet een vat bier: 'Ziet Roomsen, ziet ginder de ketters staan, talmt niet, val nu aan.' Later vertelt Fortuyn dat hij 'eigenlijk heel eenzaam was geweest te midden van al die zogenaamde lol'.

Tijdens de ontgroening probeert Pim om in het eerstejaarsbestuur te komen. Maar dat mislukt, omdat hij niet populair is vanwege zijn arrogante voorkomen en spreken. Hij wordt steeds aparter en zonderlinger. Zelf schrijft hij later: 'Ik begin me af te zonderen en dreig in een isolement te geraken.' Hij lijkt in te storten en in een diepe psychische crisis weg te zakken, maar weet zichzelf nog net in balans te houden. Sociologie studeren doet Pim met name in de nachtelijke uren. Hij heeft de handige eigenschap dat hij toe kan met weinig slaap, zo'n vier à vijf uur per nacht. En hij besluit actiever te worden bij zijn studentenvereniging: hij wordt assessor, een deftige benaming voor de assistent van het bestuur.

Theo Schuyt is zijn jaargenoot bij Thomas Aquino en hij is preses in het jaar dat Pim assessor wordt. De bestuursleden vinden het wel nuttig om iemand van stand in hun midden te hebben en volgens Schuyt doet Pim zich voor als familie van Drooglever Fortuyn. Het was ook niet moeilijk voor Fortuyn om assessor te worden, omdat hij liet merken goed ingevoerd te zijn in etiquette en omgangsvormen – met dank aan tante Flos waarschijnlijk. Schuyt: 'Fortuyn had iets met stijl. Als het Thomasbestuur op bezoek ging bij de dames van het RIA-bestuur,[57] dan was Pim perfect op de hoogte van de mores. De grijze handschoen moest uit de linker broekzak van het jacquet steken.'

Pim heeft vaak iets ironisch over zich. Als Schuyt hem vertelt dat hij zojuist een Jawa-motor heeft gekocht, reageert hij met: 'Dat is nou jammer. Want mijn broer heeft zich net doodgereden en zijn motor staat nog op de oprijlaan van mijn ouders.'[58]

Behalve met Theo raakt Pim ook bevriend met de (later) beroemde cabaretier en tekstschrijver Ivo de Wijs, een van de weinigen uit zijn studentenvereniging met wie hij goed overweg kan.

Hij kiest voor een intellectueel dispuut, Volor, een genootschap waar hij jarenlang bij blijft, zelfs als hij allang geen lid meer is van Thomas van Aquino. Volgens Pim is hij in 1968 uit de vereniging verwijderd nadat hij met een vriend een Diesviering had verstoord waar ook hoogwaardigheidsbekleders bij aanwezig waren. Pim en zijn vriend waren verontwaardigd dat hun Thomas niet zou gaan fuseren met de vrouwelijke studentenvereniging RIA.

1968 is in Europa een opstandig jaar. Overal komen mensen in actie: van Parijs (de gedenkwaardige studentenopstand van mei) tot Praag (de Praagse Lente; tijdens de lente wil het land zich losmaken van de communistische Sovjetheerschappij) heerst een rebelse sfeer. In dat bewogen jaar beleeft Pim zelf een wat hij noemt 'existentiële crisis'. Hij heeft het moeilijk en overdenkt de zwaarte van het leven. Daar komt een voorlopig einde aan als hij de bakens verzet en zich aanmeldt bij de studentenbeweging. Pim motiveert zijn keuze als volgt: 'Daar gebeurt tenminste iets, en je ontmoet er de leuke mensen en hebt er gezellige feesten waar vrijelijk met hasj, weed en seks wordt geëxperimenteerd. En dat is heel wat voor al die middenklassenjongetjes die van thuis vrijwel niets mogen.' Hij vindt de studentenbeweging ook 'een echte jongensbeweging' waar ontzettend veel gelachen wordt. Maar het is vooral het antiautoritaire karakter van de studentenbeweging dat hem aantrekt en dat hem de vrijheid biedt die hij zoekt.

Pim is in die jaren zeker niet de enige student die de transfer maakt van de elitaire gezelligheidsvereniging naar de gedemocratiseerde studentenbeweging. Later zegt hij dat 'het antiautoritaire karakter' van de studentenbeweging hem zo had aangetrokken. De studentenleiders van het eerste uur kijken met enige scepsis naar deze – wat zij noemen – 'overlopers'. Zo schrijft Geert Mak, in die dagen actief redacteur van *Pharetra*, een blad dat een rol speelt in het studentenverzet: 'Mensen die je in het eerste jaar in het Corps had meegemaakt en uit het oog verloren had, die je eerst in een pak en grijs vest zag en "kwaak, kwaak, kaak" had zien doen, die zag je opeens met lang haar en bla, bla, bla. Die mensen hingen opeens het huikje naar de wind.'[59] Denigrerend noemt Mak deze categorie studenten 'gieren en klimgeiten' omdat ze de studentenbeweging gebruiken voor hun carrière.

Eind 1968, begin 1969 wordt Fortuyn actief lid van de studentenbeweging. Een van de kenmerken van de studentenopstand – maar ook van de bredere democratiseringsbeweging – is dat die zich actief afzet tegen autoriteiten in politiek en bestuur. De doelwitten: ministers, hoge ambtenaren, burgemeesters en hoogleraren. Deze groepen voelen zich enorm aangevallen en blijken kwetsbaar. Vaak treden ze onhandig en disproportioneel op en dat roept weer nieuw verzet op, zoals de bezettingen. Het uitdagen, soms tarten van autoriteiten spreekt Pim aan – maar wel met elegantie en volgens de spelregels van een zeker fatsoen.

Pim zoekt ook heel bewust naar bondgenoten binnen het docentenkorps. Professor Van Zuthem is zo'n docent. De eerste bezetting van een universiteit vindt plaats aan de Katholieke Hogeschool Tilburg, die van de bezetters meteen een toepasselijke naam krijgt: de Karl Marx Universiteit (28 april 1969). Twee weken later volgt nog een beroemde bezetting, de moeder aller bezettingen: de Maagdenhuisbezetting (16 mei 1969). Pim doet actief mee met de aanval op het gezag, in dit geval het universitair gezag. Maar hij behoort niet tot de eerste lichting bezetters. Pim pretendeert in latere terugblikken een voortrekkersrol als studentenleider. 'Ik kon natuurlijk goed spreken en binnen 14 dagen was ik een van de voormannen. Dat was veel spannender dan het corps. (...) Mensen met een beetje talent bekleedden vooraanstaande posities, daar gebeurde het.'

Ook hier lopen zijn droom en fantasie door elkaar. In werkelijkheid valt de leidersrol van Fortuyn tegen. Hij is niet een van de aanvoerders – zoals hij zelf zegt – binnen de studentenbeweging van de VU. Hij opereert meer vanaf de flanken. Maar hij is wel een aparte en intrigerende verschijning. Marius Ernsting is in die dagen een van de grote leiders aan de VU. Pim valt direct op, zegt hij: 'Hij kwam met een enorm aplomb de studentenbeweging binnen, was eloquent en rookte een dikke grote sigaar.' Daarmee is hij tegendraads. Tot eind jaren zestig lopen de studenten er netjes bij, daarna wordt het 'studentenkostuum' een spijkerbroek met wollen trui of spijkerjasje. Pim – die in die jaren wat forser en iets corpulenter is dan in latere jaren – blijft ook als studentenactivist gewoon in driedelig pak rondlopen. Hij komt hierdoor ietwat wereldvreemd over bij zijn medeactivisten in hun *aksiekloffie*. Hij creëert met zijn hoogstpersoonlijke *dresscode* distantie, wekt ontzag bij zijn medestudenten, maar maakt zichzelf ook een beetje tot buitenstaander.

Tijdens zijn sociologiestudie leert Pim met een helicopterview naar maatschappelijke processen kijken. Hij is kritisch, zo herinnert oud-studiegenoot Ellie Izeboud zich: 'Hij deed veel aan tegenspraak. Altijd maar weer kritische kanttekeningen plaatsen, zowel bij de lesstof van docenten als bij het gedachtegoed van medestudenten. Hij debatteerde graag. De sociologie van arbeids- en organisatieprocessen vond hij inhoudelijk wel interessant omdat het een onderwerp was waar je naam mee kon maken en je brood mee kon verdienen.' De studie geeft hem zelfvertrouwen. Hij leert hoe groepsprocessen werken en wat de rol van eenlingen daarin is. Voor iemand als hij met afwijkende opvattingen, ideeën en niet te vergeten afwijkend gedrag, is dat een troost. Tot dan toe had Pim maar moeilijk zijn plek kunnen definiëren en veroveren, in het studentenwereldje voelt hij zich meer op zijn gemak. Zijn studie verloopt voortvarend. Hij ontwikkelt een ritme van 's nachts studeren en overdag op pad gaan.

Maar Pim blijft atypisch. Hij betrekt een kamer in Uilenstede in Amstelveen.[60] Studiegenoot Ton Kee herinnert zich die kamer nog goed. Achteraf is dat vrij bijzonder, omdat slechts weinig mensen Pims kamer kenden: 'Ik ben in het voorjaar van 1972 één keer op zijn kamer geweest op Uilenstede, waar ik toen zelf ook woonde. Die kamer maakte wel indruk doordat hij volkomen anders was als gewone studentenkamers. De kamer was schoon en ordelijk en er stond een ronde donkere, glanzende, houten tafel met een bolpoot met daarop een telefoon. Dat laatste was uniek in studentenland. Op Uilenstede had je per verdieping een telefoon, waarbij iedereen kon meeluisteren als je de bons kreeg van je vriendinnetje of ruzie had met je ouders. Een eigen telefoon was een onbestaanbare luxe. Maar Pim werkte toen al bij Nyenrode en verdiende in onze ogen een formidabel salaris, waarvan hij dus een telefoon betaalde. Hij was daar ook heel uitgesproken over: "Dat gedoe met die telefoon op de gang, dat is niks voor mij, hoor. Daar heb ik wel wat geld voor over," zei hij dan een beetje nuffig en nichterig.'

## Pim wordt links

Waarom kiest Pim voor de studentenbeweging? Behalve dat hij de gezelligheidsverenigingen te saai, te braaf en vooral te weinig intellectualistisch vindt, schuift hij ideologisch steeds meer naar links op. En van huis uit wordt hem geen strobreed in de weg gelegd. Hoewel Pim afkomstig is uit een conservatief, burgerlijk middenstandsgezin, krijgt hij van zijn ouders alle ruimte om zijn gedachten en aparte stijl te etaleren. Maar waarom wordt de behoudende, burgerlijk katholiek opgevoede Fortuyn links? Veel mensen uit Fortuyns babyboomgeneratie kiezen voor een radicaal andere visie om zich tegen hun ouders af te zetten. Dat generatieconflict speelt bij Pim echter slechts een beperkte rol. Hoewel hij voortdurend in conflict is met zijn vader, heeft hij zich altijd meer op persoonlijke gronden tegen zijn vader afgezet dan uit afkeer van diens maatschappelijke en politieke opvattingen. Maar waarom wordt hij dan tóch links?

Allereerst is daar de belangrijke invloed van de katholieke Kerk. Thema's als maatschappelijke betrokkenheid en sociale gerechtigheid leven in de jaren zestig binnen de kerk en die spreken Pim aan. Daarnaast voelt hij wel dat zijn ster het meest kan stralen binnen de studentenbeweging, die links georiënteerd is en op dat moment de politieke hegemonie aan het veroveren is. Links is in de jaren zestig en begin jaren zeventig veelbelovend en modieus. De opkomst van de linkse avant-garde – waarbinnen hij zelf ook een plek hoopt te veroveren – sluit op dat moment het best aan bij zijn ambities. Pims goede studievriend Ton Kee, met wie hij gedurende zijn studententijd en tijdens zijn jaren in Groningen intensief omgaat, beziet Pims aansluiting bij de studentenbeweging ook vanuit opportunistische motieven: 'Fortuyn voelt aan "waar het ongeveer naartoe gaat". Hij begrijpt dat hij tijdig de bakens moet verzetten.'

Als student is hij aanvankelijk helemaal niet zo opstandig en rebels en vindt hij de studentenbeweging maar 'flauwekul'. Kee: 'Zo sprak hij mij in september 1968 spottend toe toen ik tijdens een hoorcollege iedereen opriep mee te doen aan een demonstratie over de situatie in Mexico waar 200 studenten waren omgekomen bij een protest tegen de Olympische Spelen: "Maak je niet zo druk, het verandert toch niks, zo'n demonstratie."' Later, als hij merkt dat de studentenbeweging in opmars is, slaat hij om.

Toch vindt Kee Pim uiteindelijk geen goede opportunist. 'Je bent niet de goede opportunist want je bent niet in het centrum van de macht gekomen,' zegt hij in de jaren negentig in het programma *Het Zwarte Schaap* tegen Pim Fortuyn. En dat is absoluut waar. Net als in de studentenbeweging valt Fortuyn de gevestigde macht aan vanaf de flanken.

Fortuyn behoort tot de eerste generatie die buiten de eigen zuil gaat kijken; hij keert zich langzaam maar zeker af van de kerk en verhuist ideologisch van de KVP richting CPN en PvdA. De studentenbeweging is links, dus Pim wordt dat ook. En daar kijkt hij zijn ogen uit: 'Iedereen die het woord wil voeren, krijgt het woord en het gaat over echte zaken als het bestuur van de universiteit en de inhoud van onze colleges, over het Amerikaanse imperialisme en de oorlog in Vietnam, over universitaire bestuurshervormingen en de noodzakelijke veranderingen in onze maatschappij, met name arbeiders zouden daarin veel meer te vertellen moeten hebben. Ik hoor veel nieuwe dingen, maar ook zaken waarvan ik heb geleerd het er niet mee eens te zijn, ik kom tenslotte uit een KVP-nest. Het is een verwarrende ervaring maar het positieve overheerst.'

Net als Theo Schuyt kan studentenleider Ernsting zich goed herinneren dat Pim zich voordeed alsof hij uit een heel deftige omgeving kwam: 'Hij vertelde ons dat hij zijn moeder moest aanspreken met "mevrouw, mijn moeder".' Pim kijkt huizenhoog op tegen Ernsting, een gereformeerde boerenzoon uit de Beemster die op de VU in het middelpunt staat als activist en studentenleider. Ernsting kan zich de enorme ambities van Pim nog goed voor de geest halen: 'Hij zei tegen mij: ik wil de jongste burgemeester van Nederland worden.' En in *no time* wordt Pim volgens Ernsting 'enorm marxistisch georiënteerd'. Ernsting: 'Zelfs zo dat ik af en toe dacht: nou, Pim, dat had ook wel iets subtieler gekund.'

Sinds Pim actief is in de studentenbeweging, neemt zijn betrokkenheid met de katholieke Kerk snel af. Hij wordt steeds seculierder en keert zich steeds verder van de Kerk af. Pas in het tweede deel van zijn leven keert zijn geloof terug en wordt hij weer katholieker.

De partijpolitieke keuze van Pim begint zich te ontwikkelen. De KVP is niet langer zijn partij. Hij heeft linkse sympathieën en even komt de radicale KEN/ML (een maoïstisch georiënteerde politieke club) om de hoek kijken. Maar Fortuyn vindt het absurd om zelf in de fabriek te moeten werken en zweert de korte flirt weer af. Intussen is hij goed op dreef met zijn sociologiestudie.

Tot het midden van de jaren zestig is sociologie nog een 'keurige' studie, maar het wordt steeds meer een maatschappijkritische wetenschap waar studenten zich toe aangetrokken voelen. De nieuwe generatie sociologen wil een 'andere' sociologie; ze lopen weg met nieuwe progressieve sociologen van de Frankfurter Schule zoals Habermas, Adorno, Marcuse en Horkheimer. De sociologie moet gewone mensen dienen, maar ook aantonen dat mensen een gebruiksartikel in de consumptiemaatschappij zijn geworden.

Aanvankelijk is er veel verzet van het docentenkorps aan de VU om het onderwijs aan de modegevoelige theoretische sociologen aan te passen. De docenten die het binnen het filosofie- en sociologieonderwijs voor het zeggen hebben, vinden niet dat het vak sociologie bedoeld is om de maatschappij te verbeteren, laat staan dat het een speeltje wordt van wereldverbeteraars. De sociologie moet een empirische wetenschap zijn die uitgaat van de maatschappelijke realiteit, en de resultaten van sociologisch onderzoek moeten net zo objectief en meetbaar worden als de natuurwetenschappen.

In een terugblik onthult de oud-rector magnificus van de VU De Gaay Fortman later hoe het er achter de schermen aan toeging: 'De studenten praatten steeds maar over hun profeten. Habermas, daar moest college in gegeven worden! Wat in Duitsland aan de orde werd gesteld, moest hier ook aan de orde gesteld worden. Ik heb tegen de hoogleraren gezegd: doe dat dan ook. Daar zijn de filosofen niet ruim in geweest, zij vonden het een verderfelijke theorie die je de studenten niet bij moest brengen. Dat vond ik een idioot argument, want in de wetenschap moet je ook dingen onderzoeken die je op het eerste gezicht niks lijken.'[61] Of de hoogleraren willen of niet, de nieuwe inzichten in filosofie en sociologie dringen door tot de collegezaal. Het eerste jaar van zijn sociologiestudie houdt Pim zich nog afzijdig van deze studentenpolitiek, maar daarna wordt hij eerst secretaris en later voorzitter van Mundus, de vereniging van sociologiestudenten.

Een van Pims collega-studenten schrijft een notitie: 'Vanuit hun ontevredenheid over de gangbare onderzoek aanpak en theorievorming zoekt onze groep naar een nieuwe benaderingswijze. Het zou onjuist zijn om als socioloog slechts theorieën te produceren die alleen begrijpelijk zijn voor een intellectuele bovenlaag.' Het effect op de jonge wetenschappers blijft niet uit. Pim zelf ziet in die dagen als beginnend wetenschapper ook een subjectievere rol voor de sociologie weggelegd. Hij vindt dat de sociologie ingezet moet worden in dienst van de 'strijd' voor een betere wereld. Om het werk van sociologisch onderzoek meer naar buiten te laten komen moeten er bijvoorbeeld congressen worden georganiseerd. En toevallig heeft hij er zelf opmerkelijk veel plezier in om die congressen en conferenties te regelen. Mundus presenteert diverse democratiseringscongressen. Het beroemdste congres is dat over kritische sociologie op 12 en 13 december 1969 aan de VU. Het is in feite een revolutionair congres, want dit is nog nooit eerder vertoond: alles moet anders – het wordt zelfs een kongres in plaats van een congres. En de titel is helder en duidelijk: *De sociologie hoort een menswetenschap te zijn.*[62]

Deze goed geformuleerde titel is ongeveer de enige klare taal die op en rond het congres gebezigd wordt. Aan de vooravond van het congres schrijft Pim nog een bijdrage in de Mundus-congresbundel. Zelfs zijn eigen naam wordt nu – al dan niet met opzet – in een nieuwe spelling geschreven: Pim Fortuin. Samen met twee andere studenten levert hij een warrig verhaal af dat bol staat van de kretologie, met zinnen als: 'De sociologie heeft een expliciet geformuleerde maatschappijvisie nodig', en: 'De sociologie moet buiten de grenzen van haar discipline durven te gaan.' In het artikel worden sociologen opgeroepen de 'machteloze arbeiders' te dienen. Conclusie: 'De socioloog legt zich niet neer bij een "constatering" van het gedrag van deze machtelozen, maar zal dan ook trachten via zijn wetenschapsbeoefening dit gedrag te beïnvloeden.'

Tijdens het congres worden spijkers met koppen geslagen. De studenten besluiten dat voortaan gesproken wordt van 'emancipatoire sociologie'. Vanaf nu verklaren sociologen zich solidair met de lagere klassen. En de daad wordt bij het woord gevoegd: de sociologen besluiten zich actief met maatschappijverbetering te gaan bezighouden. Pim kiest voor de actiegroep Jordaan Blijf Staan, die bestaat uit bewoners en solidaire studenten die zich willen inzetten voor het behoud van de Jordaan. De Jordaan wordt op dat moment bedreigd met rigoureuze afbraak en bewoners en studenten verzetten zich daar hevig tegen. Uit de actiebrochure:

*De gemeente is gekomen met een plan, waarin alleen plaats is voor de hogere inkomens en niet voor bejaarden, jongeren, woningzoekenden en niet voor U!*

*Wij Jordaners willen een ander saneringsbeleid dat de woningnood wel vermindert.*

*Er moet iets gedaan worden aan de toestand: de Jordaan is in verval, mensen wonen in te kleine huizen, slecht onderhouden.*

*Jordaan Blijf Staan is ook een hulpcentrum waar mensen met klachten naar toe kunnen.*

Het comité wil een alternatief voor het gemeenteplan uitwerken. Pim doet driftig mee en bezoekt de vele actievergaderingen. Hij is vooral goed in meedenken over de vraag hoe de gewone Jordanees moet worden bereikt. In de notulen tekent hij op: 'Mieke maakt schema's van cafés en washuizen om door middel van deze instellingen de Jordaner te bereiken.' Echt gemakkelijk is het contact tussen de activistenstudenten en de bewoners niet. In de notulen schrijft een student: 'Vooral in de komende weken zal veel afhangen van de – nu nog geringe – kommunikatie tussen de bewoners en ons. Van het bewustzijn van de gelijksoortige positie waarin studenten en bewoners verkeren, is ook aan onze kant nog weinig te bemerken (van koen bons en johan rippen).'

Pim sluit zich met drie stagiaires aan bij het comité en wil de Jordaanbevolking met een 'beleidsanalyse' steunen. Hij stelt ronduit dat hij en de stagiaires zich 'dus niet objectief wilden opstellen'. In eerste instantie wordt sociologiedocent De Bruin aan het studieproject toegevoegd. Hij wil dat Fortuyn en zijn stagiaires zich bij hun onderzoek wél objectief opstellen. De verantwoordelijke docent Kuiper stelt het jonge clubje vervolgens voor de keuze: óf een traditioneel – lees: objectief – onderzoek óf consequenties trekken uit de eigen houding en opstappen. Kuiper is boos en roept dat er niet is samen te werken met het groepje. Fortuyn gooit het op wat hij noemt 'de werkelijke reden', namelijk een 'fundamenteel verschil in politieke opvattingen. Een politiek conflict'. Kuiper houdt vast aan 'de conceptie van wetenschap, die ten grondslag moest liggen aan de opzet van het werkcollege' en eist dat de 'pluriformiteit' van de theoretische werkgroep 'gewaarborgd' is. Ook maakt hij er bezwaar tegen dat Fortuyn c.s. zich bij voorbaat 'solidair verklaren met de onderdrukt geachte, te bestuderen groep'. Dit kan niet goed gaan en dat gaat het ook niet. Het komt tot een breuk.

Op 1 oktober 1970 stappen Fortuyn en de drie stagiaires op, nadat ze – in de taal van volleerde politici – hun 'consequenties' hebben getrokken uit de harde voorwaarde van Kuiper om waardevrije wetenschap te beoefenen.[63] De gestelde daad is mooi en voor Pim en zijn stagiaires principieel, maar Pim is nu wel zijn krediet kwijt als kandidaat-assistent en als veelbelovend wetenschapper. Al snel heeft Pim dan ook spijt van zijn impulsieve actie[64] en een paar maanden later zegt hij in een interview met de faculteitskrant dat hij 'achteraf bezien veel te snel is opgestapt'; hij had minder solidair moeten zijn met de bewoners. Zijn 'kritische benadering' van het project is bij de studenten echter wél goed ontvangen. Mede namens de drie ontslagen stagiaires merkt hij fijntjes op: 'Als we dat geweten hadden, hadden we de zaak waarschijnlijk heel anders aangepakt, en hadden we niet zo snel besloten om te vertrekken.'

Pim is teleurgesteld in de andere leden van het comité. Hij is beledigd dat de leden niets van zich hebben laten horen en gefrustreerd omdat ze hem niet hebben geholpen toen hij in de clinch lag met de sociologiedocent. Maar hij is te trots om dat als reden aan te voeren en gooit het ergens anders op: hij zegt dat hij is opgestapt omdat de comitéleden niet meeleefden toen hij het moeilijk had met het verwerken van het verlies van zijn verongelukte broer Joos.

Hij besluit op 14 september 1970 een brief te schrijven aan het collectief 'Volksfront Jordaan' om zijn grieven te uiten. 'Lang ben ik afwezig geweest en dit is niet in de laatste plaats te verklaren uit de houding van de groep t.o.v. mijn persoon. Ik heb ten gevolge van dit overlijden van mijn broer een bijzonder moeilijke tijd doorgemaakt, in de groep heb ik t.a.v. deze gebeurtenis geen enkele respons gekregen.' En: 'Terugtrekken uit de groep moet dan ook zeker tegen de boven geschetste achtergrond worden bekeken.'

## Pim, bemiddelaar met gezag

De studenten van 1968 zijn sterk gepolitiseerd. Voor het eerst komt een verre oorlog rechtstreeks in de huiskamer binnen, vooral door de televisiebeelden. De Vietnamoorlog is een belangrijk moment in Pims politieke bewustwording en in zijn verplaatsing naar links. Pim: 'De oorlog in Vietnam speelde een heel belangrijke rol in ons leven. Via de televisie zagen we wat de Amerikanen aanrichtten.' De Amerikanen zijn twintig jaar na de bevrijding Nederlands beste bondgenoot, maar de babyboomgeneratie zet vraagtekens bij deze sympathie vanwege de Vietnamoorlog.

President Johnson, Kennedy's opvolger, moet het ontgelden. En ook Pim is anti-Amerikaans. Pim: 'Op het raam van ons dispuutshuis hadden we een affiche gehangen met "Johnson moordenaar". Er kwam een rechercheur langs en die zei: "U beledigt een bevriend staatshoofd. Als u dat pamflet niet weghaalt, dan verbaliseren wij u." Ik zal het nooit vergeten.'

Veel van huis uit katholieke jongeren gaan in die tijd als student naar Nijmegen en Tilburg en radicaliseren daar. Zij worden fanatieke marxisten en studentactivisten (iets wat overigens meestal samenging). Neem bijvoorbeeld studentenleider Ton Regtien, met wie Pim later bevriend raakt; hij had net als Pim lange tijd een roeping om priester te worden, maar door deze rigoureuze ommezwaai naar links lijkt het wel alsof hij het ene geloof voor het andere inruilt.

De debatten op de universiteit zijn in die tijd bijna sektarisch. Marius Ernsting, het latere Kamerlid voor de CPN, laat zich daar als volgt over uit: 'Er werd veel gepraat over politiek en geloof en de relatie daartussen. (...) Op de hbs in Amsterdam-Noord begon de secularisatie al in te zetten.' De twijfels over het geloof worden steeds sterker. Ernsting: 'Hoe kunnen mensen met een beroep op God het apartheidssysteem in Zuid-Afrika verdedigen, terwijl andere mensen met eenzelfde beroep op God daar zo fel tegen ingaan?' Ook Pims actievrienden Hugues Boekraad en Wilfried Uitterhoeve groeien op in traditionele, conservatieve, katholieke gezinnen, maar gaan later de linkse Socialistische Uitgeverij Nijmegen beheren. Aan de VU lopen ook nogal wat gereformeerd opgevoede jongens rond, zoals Marius Ernsting ("s zondags twee keer naar de kerk en tijdens het koffiedrinken napraten over de preek, wat de dominee goed maar vooral wat ie fout had gezegd'), die eenzelfde gang maken.

Terwijl de VU volgens sommigen iets provinciaals heeft, staat de GU juist te boek als avant-gardistisch – dáár klopt, zo wordt gezegd, het hart van de actievoerende studenten het hardst. Toch zijn de VU-studenten, waarschijnlijk vanwege hun vasthoudende en dogmatische achtergrond, radicaler dan de studenten van de GU. Fortuyn zelf schrijft veelzeggend: 'Altijd staat de VU in de schaduw van de Gemeentelijke Universiteit, die op een arrogante manier op ons neerkijkt.'

Later stappen nogal wat van Pims generatiegenoten over naar nog zo'n verzamelplaats van hardliners: de Communistische Partij Nederland (CPN). Fortuyn: 'Het gereformeerde geloof was een heel stevig geloof, die jongens kwamen vanuit plattelandsbolwerken naar de grote stad en raakten al snel losgeslagen. De discussie of je vóór het huwelijk met elkaar naar bed mocht was beslecht, en de nieuwe opvattingen werden met verve beleden. Mensen verloren hun houvast en de CPN ontpopte zich toen met zijn hiërarchische structuur en zijn juiste leer als de alternatieve kerk.'

Volgens Fortuyn is de ontwikkeling in die periode 'gepersonifieerd in Marius Ernsting'. Pim: 'Die jongen was een anarchist, niet in de politieke zin van het woord, maar in de zin van een vrijheidslievend persoon. Ik zal het nooit vergeten: de VU-hoogleraren hadden zich in hun toga gehuld voor de opening van het academisch jaar. Marius Ernsting voegt zich in die stoet met een Indiase kaftan aan en schuift aan bij die lui. Dat heeft hem nog een schorsing opgeleverd van De Gaay Fortman – een goede rector, een autoriteit, maar wel iemand die begreep wat er gaande was. Ernsting was een leuke, levendige, dwarse knul.' Ernsting bevestigt het verhaal maar corrigeert de kaftan: 'Het is een boernoes uit Tunesië met een Indiase ketting.' Rector De Gaay Fortman – later minister van Binnenlandse Zaken in het kabinet-Den Uyl (1973-1977) – en Pim komen elkaar in 1972 tegen tijdens de tweede bezetting van de VU.

De Pim Fortuyn die als activist oproept tot democratisering, staat aan de basis van anti-elitaire en egalitaire verhoudingen in de samenleving. Dat is althans zijn stellingname als jonge, linkse student. Maar dit verhoudt zich slecht tot de Pim die doet voorkomen alsof hij van deftige komaf is en die zijn leven lang een zwak voor de aristocratische cultuur heeft gehouden. Later in zijn leven zal hij de standsverschillen waar mogelijk cultiveren, tot aan het voeren van een (zelfbedacht) familiewapen toe, met daarop vrouwe Fortuna in goud.[65]

Ook in zijn kledingstijl 'verraadt' de linkse Pim zijn diepste gevoel met zijn voorkeur voor stijlvolle, chique kleding. 'Pim had een frivole stijl van optreden,' herinnert VU-studentenleider Albert Benschop zich. 'Hij was altijd zeer goed verzorgd en in de dure kleren, wat in die tijd zeer bijzonder was. Zijn klerenkast was al in de Uilenstedeperiode een unicum. Ik ben een aantal keren met Pim op stap gegaan om kleren te kopen: altijd in heel dure zaken (waar ik nooit binnen was geweest) en hij probeerde altijd om af te dingen op de prijs wanneer hij twee of meer dure pakken kocht met overhemden en stropdassen.'

Bezettingen van universiteiten zijn eind jaren zestig aan de orde van de dag. De VU kent in 1969 een eerste grote bezetting, waar Pim overigens niet bij betrokken is. Begin 1972 komt het college van directeuren en curatoren met een voorstel voor een nieuwe bestuursstructuur van de VU, maar studenten en een groot deel van de medewerkers gaat de democratisering niet ver genoeg. De studentenraad van de VU verwerpt de voorstellen en noemt deze een 'karikatuur van democratie'. Als het college van bestuur vervolgens weigert verkiezingen voor de nieuwe bestuursorganen uit te stellen, ontstaat er grote onrust op de VU. Het dagblad *Trouw*,[66] goed geïnformeerd over de VU, schrijft: 'Tot gisteravond laat zijn de directeuren van de VU niet ingegaan op de eisen van de bezetters van het hoofdgebouw om de verkiezingen voor de universiteitsraad twee weken uit te stellen. De bezetters willen het uitstel gebruiken om het nieuwe bestuursreglement in wijde kring ter discussie te stellen. In het VU-reglement zou ook een student in het college van bestuur kunnen komen, in de wet moeten dat mensen uit het wetenschappelijk korps zijn.'

Op 22 februari 1972 trekken zevenhonderd studenten naar de hal van het hoofdgebouw van de VU. De universiteit wordt bezet en dat gebeurt volgens een bijna professioneel model. Er komt een ordedienst, een EHBO-ploeg, een voedseldienst, een nieuwsdienst en een bezettingsraad. Deze laatste vormt in feite het machtscentrum van de bezetting. Inzet van de strijd is de wijze waarop de VU bestuurd moet worden en de manier waarop inspraak gegarandeerd is. De plannen zoals voorgesteld door het college van directeuren onder leiding van professor Sizoo worden verworpen.

De actieleiding van deze bezetting bestaat uit de 'harde kern' (officieel: stuurgroep) van de Rode Eenheden die in bijna alle faculteiten opereert. Daartoe behoren Ton Kee, Pieter-Jan van Delden, Louis Crijns en Albert Benschop en algauw komt daar ook Marius Ernsting bij. Pim doet mee aan deze tweede VU-bezetting, maar hij is niet een van de voormannen van de studentenbeweging noch behoort hij tot de leiders van de bezetting. In *Babyboomers* dicht hij zichzelf echter wel een leidende rol toe. Hij zegt daarin dat hij de 'voorzitter van de honderdurenbezetting van het hoofdgebouw aan de Boelelaan' (van de VU) is geweest. Later herhaalt hij dat in interviews en maakt zodoende zijn rol veel groter dan deze in werkelijkheid was.

In zijn autobiografie beschrijft Pim de studentenbeweging als een 'anarchistisch zootje ongeregeld'. En in zijn versie van de werkelijkheid schrijft hij: 'Dan word ik naar voren geschoven.' Albert Benschop: 'Het hele "activistische" verleden is een door Pim zelf zorgvuldig opgebouwde mythe. Hij is bij mijn weten nooit lid geweest van de activistische groepen die in mijn studietijd op de VU bestonden. Alleen als de acties groot en succesvol waren, kwam hij wel eens opdraven, en wilde hij graag de plenaire vergaderingen voorzitten. Pim was geen onderdeel van de Rode Eenheden en nam derhalve geen deel aan de vergaderingen van de actieleiding. In geen enkel opzicht kan Pim als 'een van de leiders van de bezetting' worden betiteld. Wel heeft hij een van de laatste bezettingsvergaderingen voorgezeten. Dit had mede te maken met het feit dat ik inmiddels zo uitgeput was, dat ik even op adem moest komen.'

Ellie Izeboud vertelt in aanvulling hierop: 'Pim was zeker geen leider in de studentenbeweging, maar ook geen volgend persoon. Hij was eerder een beetje een randfiguur, een einzelgänger die zich wel sociaal verbond met andere studenten, maar naar mijn indruk graag zijn handen vrij hield. Beetje opportunistisch dus, in de neutrale zin van het woord. Er werd naar hem geluisterd. Zijn mening was echter niet beslissend bij besluitvorming over te ondernemen acties.'

Ook Marius Ernsting noemt de werkelijke rol van Pim veel kleiner dan Pim het achteraf voorstelde: 'Hij was geen leider. Pim kon goed uit de voeten met de hoge heren. Hij treedt op als bemiddelaar.' Maar Pim heeft volgens Ernsting ook nog een andere karaktereigenschap: 'Pim kon mensen zo ongelofelijk beledigen. Zo gemeen uitvallen als hij de pik op je had. Hij was eloquent, maar als je iets te dichtbij kwam, dan gaf hij er een trap tegen.' Vriend Ton Kee zegt dat Pims rol in de studentenbeweging 'steeds wat omstreden was, omdat hij niet helemaal vertrouwd werd door de dominante leden van de "beweging" en ook geen aanhang had onder de "massa".'

In *Babyboomers* schrijft Pim dat hij samen met rector magnificus De Gaay Fortman een gevaarlijke escalatie heeft kunnen voorkomen: 'Op dat moment grijpt Gayus (de vermaarde koosnaam van De Gaay Fortman) in en verzoekt mij samen met hem de vergaderzaal te verlaten. Buiten gekomen stelt hij klip en klaar dat zij noch wij een kant op kunnen en dat wij samen een oplossing moeten uitwerken waardoor wij zonder gezichtsverlies het gebouw kunnen verlaten. Gayus en ik zetten ons aan een ingenieuze persverklaring.' Dit verhaal komt overigens wel overeen met de feiten.

Volgens Ton Kee is Pim in die tijd een belangrijke schakel: 'Hij verstond de taal van de machthebbers.' Hij gaat vrij makkelijk het gesprek met de autoriteiten aan en hij zit dan ook bij een groep 'bruggenbouwers' die een compromis tussen studenten en universiteitsbestuur moet maken, het Comitee Democratisering. Ook Hugo Kijne zit in deze werkgroep en er zitten ook hoogleraren en stafmedewerkers bij. Het is dit comité dat zal overleggen met De Gaay Fortman, maar feitelijk krijgt de groep niets voor elkaar, want de plannen van het college van bestuur worden gewoon doorgevoerd.

Voor de studenten is de bezetting een enorme belevenis, al relativeert De Gaay Fortman het later[67]: 'De grote narigheid met bezetting van gebouwen en zo hebben wij veel minder gehad dan de Universiteit van Amsterdam.' Gayus – als verlicht bekendstaand – heeft ook een, om het eufemistisch te zeggen, wat ándere kijk op de bezettingscultuur: 'Dat bezetten was natuurlijk verrekt vervelend. Dat deden ze heel slim: ze schakelden de liften uit en sloten de toegang tot de trappen af. Dan werden de brave zielen die tentamen kwamen doen meteen doorgestuurd naar de vergadering; daar moesten ze heen, dat was veel belangrijker dan tentamen. Een strategie had ik niet, je deed maar ad hoc, net als trouwens de studenten.

Maar bij de bezetting van het hoofdgebouw werd het echt te gek. Niet alleen konden geen tentamens worden afgelegd, er waren ook kamers bezet waarin kostbare apparatuur stond. Ik was voor ontruiming.'

Fortuyns studentenactivisme komt achteraf gezien eigenlijk te laat. Als hij in 1972 zijn *finest moment* als bemiddelaar heeft, is het studentenprotest in feite al over zijn hoogtepunt, en is Fortuyn bovendien niet eens student meer (hij is afgestudeerd in mei 1971)! En dat terwijl Pim Fortuyn in 1968 vooraan had kunnen staan.

Achteraf wordt ook nog even in financiële zin met Pim afgerekend: in een brief van 5 april 1972 op VU-briefpapier van mr. J.W. Ubbink (de secretaris van het college van directeuren) staat dat Pim een kostenopgave van 3100 gulden heeft ingediend. Een gepeperde rekening, vindt de VU. 'Ondanks het feit dat u over de door u uitgegeven bedragen geen voorafgaand overleg met ons heeft gepleegd, zijn wij bereid een deel daarvan, en wel f 1500,- voor rekening van de universiteit te doen komen. Wij doen dit op grond van de overweging, dat de activiteiten van het comité – althans aanvankelijk – mede het karakter droegen van een poging tot bemiddeling. Verdere tegemoetkomingen kunnen niet worden verstrekt.'

Over de resultaten van de bezetting zijn de studenten verdeeld. Marius Ernsting: 'De bezetting leverde eigenlijk niks op. Maar we hadden het gevoel iets heel bijzonders te hebben gedaan.' De motieven om over te gaan tot de tweede bezetting van de VU zijn vaag, maar het enthousiasme bij de studenten is er niet minder om. Ze delen zelfs actiepamfletten uit aan de arbeiders die de VU bouwen. Het wordt er allemaal niet veel duidelijker op:

*Aan de werkers in de bouw van de VU:*
*Zoals u ongetwijfeld zal hebben gemerkt is er in het hoofd-*
*gebouw een bezetting aan de gang. Omdat de doeleinden*
*hiervan waarschijnlijk niet al te duidelijk zijn, het volgen-*
*de. 'Het doel van de bezetting is uitstel te krijgen voor de*
*verkiezingen van een nieuw bestuur. We zijn gebruik gaan*
*maken van ons sterkste machtsmiddel: een bezetting.'*

Pim archiveert zijn belevenissen in de studentenbeweging nauwkeurig; hij bewaart ze als een trofee uit zijn jeugd. Het gaat echter om oersaaie stukken over democratiseringsreglementen, over bureaucratische en organisatorische veranderingen aan de universiteit waarin veelvuldig woorden vallen als kiesreglement, bestuursreglement, bestuurshervorming en agendaprocedurevergaderingen. Medestudent Ton Kee valt in die dagen al op hoeveel interesse Pim heeft in de reglementen: 'In tegenstelling tot de meeste studenten vond Pim dat reglementen ertoe deden. Het was niet iets vrijblijvends. Als je "macht" aan de universiteit wilde veroveren moesten afspraken op papier staan, zo meende hij. Hij had oog voor de juridisering van veranderingen, de betekenis en uitvoering van de regels. Daarin liep hij voorop. In zijn latere leven zet hij die lijn door.' De Gaay Fortman vindt in een terugblik op zijn leven het studentenverzet geen belangrijke ontwikkeling: 'Ik vond er niets wezenlijks in. Het was een hol vat, een wolk die voorbij dreef. Ik was niet onder de indruk van de standpunten van de studenten, die erg wazig waren.'

Was het allemaal geneuzel, de democratiseringsbeweging aan de VU? Je kunt je afvragen waar de onrust en de

wil om actie te voeren aan de universiteiten uit voort-
kwamen en wat de eisen van de studenten waren. In elk
geval moest het gesloten, bijna archaïsche bolwerk dat
universiteit heette veranderen. Al was het alleen maar
vanwege de massale toeloop van studenten in die tijd.
Sinds de jaren zestig niet alleen uit de bovenklasse maar
uit alle lagen van de bevolking.

Pim dweept met de studentenleiders en geruime tijd
heeft hij ook veel respect en bewondering voor Ton Regtien, door Pim misschien wel terecht liefkozend de 'nationale studentenleider' genoemd. De wat romantisch
uitziende studentenleider Regtien is een man die als de
aartsvader van de studentenleiders de geschiedenis is ingegaan. Regtien is een leider die op het goede moment de
juiste woorden gebruikt om studenten op te zwepen en
heeft het imago van een kleine revolutionair, niet in de
minste plaats vanwege zijn reizen naar Cuba. In de jaren
zeventig zijn Pim en Regtien, volgens Fortuyn, 'innig met
elkaar bevriend' geraakt. In de uitvoerige memoires van
Regtien, waarin zo'n beetje iedere voor Regtiens leven
relevante persoon wordt genoemd, is Fortuyn echter niet
terug te vinden. Regtien en Fortuyn kenden elkaar, maar
de innigheid van de vriendschap is door Fortuyn sterk
overdreven.

Studeren kan Pim als geen ander. Als student is hij vanaf
het allereerste begin succesvol. Hij studeert voor die tijd
ongekend gedisciplineerd. Direct in september 1968
haalt Pim zijn propedeuse, een vliegende start die hij ook
in latere jaren waarmaakt. Want al in mei 1971 haalt hij
– na amper 3,5 jaar studie – zijn doctoraal. Zijn afstudeer-

scriptie gaat over 'loonoverlegsystemen over de periode 1945-'. Het is geen scriptie die uitblinkt door vindingrijkheid of boeiende gedachtevorming. De probleemstelling en de scriptie zijn warrig geformuleerd. Fortuyn stelt: 'Wat is nu het doel van deze scriptie? Welnu ik wil onderzoeken of de vakbond in staat zal zijn, gezien vanuit haar historisch gegroeide positie, de rol van agent van verandering op zich te nemen.'

Pim vindt zijn eigen werkstuk geen groot succes. Maar uit de scriptie blijkt wel hoezeer hij beïnvloed is door het linkse gedachtegoed van die tijd: 'Ik sta dan ook bepaald niet sympathiek tegenover het concurrentiebeginsel, een beginsel wat er niet op uit is rationele keuzen te bevorderen.' Als socioloog geeft hij duidelijk aan dat hij aan de goede kant staat: 'Ik vind het namelijk noodzakelijk dat de socioloog een positie kiest in het spel der maatschappelijke krachten en ik wil derhalve de bril laten zien waardoor ik waarneem.' Hij geeft volmondig zijn linkse wetenschapsopvatting toe: 'De analyse die mij met name aanspreekt is de neomarxistische.' Hij verdiept zich in het begrip macht: 'Onze maatschappij vertoont dan ook een oligarchische tendens, welke op vele plaatsen "gecamoufleerd" wordt door studies over arbeidsvoldoening en medezeggenschap.' En: 'Wij groeien steeds meer toe naar een samenleving van machtelozen.' Fortuyn formuleert in de scriptie een aantal stellingen: 'De wetenschap dient de voortgang der geschiedenis te bevorderen. Dat wil zeggen dat zij het proces van liefhebben dient te bevorderen. (...) De taak van de gedragswetenschappen is er in gelegen een model te ontwikkelen van de nieuwe mens en de nieuwe samenleving.' Hij legt een wat vreemd verband tussen maatschappelijke problemen en de liefde: 'Abstract gezegd versta ik onder het falen van de maatschappij, het niet kunnen realiseren van de liefde, het niet kunnen bevorderen van het proces van liefhebben. Deze maatschappij werkt op vele punten het liefhebben tegen. Onder andere het basistheorama van onze economie, de concurrentie en het daarmee samengaande winstprincipe is liefdeloos, leidt tot uitbuiting en dus tot haat, moord, oorlogen etc. Een dergelijk theorama is onchristelijk te noemen.'

Opmerkelijk is dat hij het in dit werkstuk heeft over 'we'. In zijn latere leven zal hij bijna altijd het persoonlijk voornaamwoord 'ik' gebruiken.

Zijn scriptie is geen doel op zich, maar ziet hij als een tussenstap naar een hoger doel: de promotie. 'Wij hopen dat deze scriptie een aanzet tot een proefschrift kan zijn, waardoor ik in staat zal zijn op dit punt meer waar te maken.' En dan komen zo terloops ook nog even alle grote vragen over het leven aan de orde: 'Waartoe zijn wij op aarde?' Pim stelt: 'De eerste vraag uit de catechismus, welke ons al op zevenjarige leeftijd gesteld wordt. Het antwoord hierop is even bondig als de vraag: "Om hier en in het hiernamaals gelukkig te zijn."' Pim kondigt aan bij professor Van Zuthem te gaan promoveren op 'Loonvormingssystemen in Nederland na 1945, geëvalueerd vanuit marxistisch perspectief'. In zijn jeugdige overmoed stelt hij: 'Ik hoop in de loop van volgend jaar mijn dissertatie af te krijgen.' (Dit blijkt veel te optimistisch te zijn: het zou nog tien jaar duren voordat het proefschrift uiteindelijk verschijnt.)

Achteraf is de vraag interessant waarom Pim een marxistisch socioloog werd. Pim zegt daar zelf over dat hij daartoe gekomen is 'naarmate hij meer inzicht kreeg in de maatschappelijke verhoudingen en zag dat bepaalde onvermijdelijke ontwikkelingen zich voltrekken binnen dat hele kapitalistische stelsel waarin we zitten, en dat bepaalde groepen uitgebuit worden, machteloos zijn, terwijl anderen over hen beslissen'. Marxistische sociologen leggen hun solidariteit bij de machtelozen, traditionele sociologen leggen hun solidariteit – of ze dat nu willen of niet – bij de machthebbers. Maar, zo stelt Pim: 'De marxistische sociologie is niet zomaar een recept dat je zomaar op een willekeurige situatie kunt toepassen.'

De marxistische sociologie kan volgens Fortuyn beter de maatschappij en ontwikkelingen verklaren dan de traditionele sociologie, die blijft staan bij verschijnselen en niet tot de kern doordringt. Fortuyn is bang voor 'technocratisering' van de sociologie en vreest dat zijn vakgebied een manipulatieve wetenschap zal worden. 'Bij een afdeling van Philips hebben ze al in een nota behandeld hoe stakingen tegemoet moeten worden getreden.' De intellectueel verkeert volgens Fortuyn in dezelfde situatie als andere loonarbeiders. 'De intellectueel wordt steeds meer een loonarbeider die niet meer de zeggenschap heeft over zijn kennis.' Daarom zou de intellectueel er goed aan doen zich solidair te verklaren met zijn collega's, de andere loonwerkers. Later zei hij: 'Lange tijd heb ik geloofd dat de communistische staatstheorie een goede staatstheorie was. Ik heb echt geloofd dat het goed was om de welvaart gelijkelijk te verdelen. Maar inmiddels ben ik erachter dat dat mensen lui maakt. Het maakt hen niet alleen lui, het veroordeelt hen ook tot passiviteit.'

## Pims flirt met de CPN

In zijn studietijd is Fortuyn weinig met partijpolitiek bezig. Zijn flirt met de KVP is allang voorbij en de PvdA – waar hij zich enkele jaren later op zal richten – is nog niet in beeld, laat staan Nieuw Links, de vernieuwingsbeweging binnen de PvdA die tussen 1966 en 1971 voor veel reuring in de Nederlandse politiek zorgt.

In Pims nalatenschap zitten diverse exemplaren van CPN-partijkrant *De Waarheid*. Aan de VU, maar ook aan andere universiteiten neemt begin jaren zeventig de invloed van de Communistische Partij Nederland (CPN) snel toe. Dit tot ongenoegen van een deel van het gestaalde kader van de CPN, die het arbeideristische karakter van de communistische partij ziet verwateren. Partijdemocratie kent de CPN niet; het is een ondemocratische, volstrekt centralistisch georganiseerde partij gericht op de strijd voor een beter bestaan voor de arbeidersklasse.

Veel studentenleiders melden zich bij de partij. Een van hen is Jeroen Saris, later CPN-wethouder in Amsterdam. Maar lang niet iedereen wordt aangenomen als lid, want er volgt eerst een stevige ballotage. Ook Marius Ernsting – aanvankelijk actief in de Amsterdamse gemeenteraad voor de Kabouters – verwerft het partijlidmaatschap en schopt het later nog tot Tweede Kamerlid voor de CPN.

Ernsting: 'Ik hoorde dat Pim zich heeft aangemeld bij de CPN. Fré Meis zag het niet zo zitten. Die zei toen:

"Laat hem eerst maar wat wijkjes gaan lopen." Daar had Pim echt geen zin in. Toen had hij 't snel bekeken en was voor hem duidelijk dat de CPN geen optie voor hem was.' In *Babyboomers* schrijft Pim dat 'een vriend' (die lid was van de CPN) 'eens zal polsen hoe er daar over wordt gedacht' [over Pims partij lidmaatschap, L.O.].

Een andere CPN-voorman, de gewezen taxichauffeur Rinus Haks, had hem geadviseerd maar geen communist te worden. 'Omdat ik daar qua cultuur niet bij paste. Ik vond het een hele aardige man. Hij zei dat ik me bij de CPN vast niet gelukkig zou voelen. En ik vond dat hij eigenlijk wel gelijk had.' In *Babyboomers* voegt Pim daar nog eens aan toe dat Rinus Haks hem belde en zei dat 'zijn partij niets voor mij is en dat ik helemaal niet voor de partij ben'.

In 1993 zei Pim zelf over zijn vermeende CPN-ambities: 'motivering voor mij om geen lid te worden van de CPN is zo simpel als wat, gewoon het feit dat homoseksualiteit in die partij een non-issue was. Het was een machogeoriënteerde partij waar vrouwen duidelijk de tweede of derde viool speelden. Vanuit een feministisch standpunt gezien was het een zeer ongeëmancipeerde, autoritair geleide partij.'[68]

In 1993 ontkent Pim in het *VU Magazine* ook ooit lid te hebben willen worden van de CPN. Hij stelt: 'De CPN ontpopte zich toen met zijn hiërarchieke structuur en zijn juiste leer als een alternatieve kerk. Maar ja, ik kom uit een liberaal katholiek milieu en op mij hebben dat soort bewegingen nooit enige vat gehad.'[69]

Ellie Izeboud – voorzitter van de CPN van 1982 tot 1989 – over Pims mogelijke sympathieën voor de communistische partij: 'Ik weet niet of hij lid is geweest. Hij sugge-reerde wel – in de Groningse tijd – dat hij zich had aange-meld en deed daar wat geheimzinnig over. Soms koket-teerde hij wel met een verbinding met de CPN, maar volgens mij meer om indruk te maken en om te kijken hoe mensen daarop reageerden dan dat het echt zo was.'

Later, als Fortuyn in Groningen woont, komen er vol-gens Izeboud geregeld CPN-leden bij hem over de vloer. Izeboud: 'Hij gaf dan graag meningen en adviezen ("ik heb het beste voor met de CPN") en hij suggereerde ook wel eens dat hij er een beetje bij hoorde, alsof hij ge-vraagd was om geheim lid te zijn. Het ene moment kon hij fel doorvragen hoe je er in godsnaam toe kwam om CPN-lid te worden. Het andere moment schoof hij er be-gripvol tegenaan.' In een terugblik schrijft Fortuyn dat 'de CPN in de jaren zeventig – en dat is heel knap geweest van de toenmalige politici van die partij – een buitenpro-portionele invloed kan uitoefenen op de wetenschapsbe-oefening en ook op het bestuurlijke klimaat in de Neder-landse universiteiten'.

Waarom kan Pim Fortuyn geen lid worden van de CPN? Er is veel over gespeculeerd. In *Babyboomers* zegt hij dat hij er afwijzend tegenover stond. 'Toch voel ik er niet veel voor. Ik vind Marcus Bakker (toenmalige aanvoerder van de CPN) een nare man en van al die communistische regimes moet ik ook al niets hebben.' Het finale ant-woord over de verhouding van Fortuyn met de CPN be-vindt zich in de archieven van de CPN in Amsterdam. Conclusie: Pim heeft zich wel degelijk bij de CPN aange-meld. Op 4 oktober 1972 schrijft de genoemde communistische taxichauffeur en secretaris Rinus Haks van het Amsterdamse districtsbestuur van de CPN aan het districtsbestuur van de CPN Groningen:

> *Waarde kameraden,*
> *In de maand augustus melde (sic) zich bij ons als lid WSP Fortuijn, Drs. Sociologie en wetenschappelijk medewerker aan de Amsterdamse universiteit. Na zijn lidmaatschapsaanvraag in behandeling te hebben genomen, bleek ons dat hij naar de stad Groningen was verhuisd. Uit de informatie die we over Fortuijn hebben ingenomen hadden wij inmiddels het besluit genomen hem niet als lid te accepteren. De bezwaren stoelen voornamelijk op het feit dat hij een man is uit de zogenaamde Harmsengroep. Wij stellen jullie van het een en ander in kennis omdat Fortuijn op de hoogte is gesteld van het feit, dat wij hem niet wensen te accepteren als lid. Hij wenst daarover een gesprek met ons. Vanzelfsprekend doen we dat maar het zal aan ons besluit als zodanig niets veranderen.*[70]

En dan volgen de kameraadschappelijke groeten van de secretaris aan de makkers in het hoge noorden. Exit CPN-ambities van Pim Fortuyn.

Wat Fortuyn niet weet, is dat hij door de communisten wordt gezien als handlanger van de hoogleraar dialectische filosofie en historische sociologie Ger Harmsen. Deze was ooit een bekend CPN-lid, maar vanwege zijn kritische geest is hij uit de sektarische CPN getreden. Later wordt Harmsen slachtoffer van een ingenieuze hetze tegen zijn persoon en als 'NAVO-professor' afgeserveerd.

Pim heeft inderdaad contact met Harmsen en ze gaan in de loop van de jaren zeventig aan de Rijksuniversiteit Groningen intensief met elkaar samenwerken. Aan het einde van zijn VU-tijd stuurt Fortuyn ook wel eens een geschrift naar Harmsen op, die het van zeer kritisch commentaar voorziet. Om Fortuyn als handlanger van Ger Harmsen neer te zetten is overdreven, ook al omdat Fortuyn van meet af aan een kritische houding ten opzichte van Harmsen heeft. Vast staat ook dat Pim midden jaren zeventig affiches van de CPN op zijn raam plakte – waar hij overigens een PvdA-affiche naast hing.

Ook zeker is dat Pim de *Statuten van de Communistische Partij van Nederland* uitvoerig bestudeerd heeft. In zijn huis Palazzo di Pietro lag een exemplaar met aantekeningen. Artikel 7c over *de verantwoording der besturen* heeft hij van opmerkingen voorzien. Dat artikel luidde: 'Nadat door de betrokken instanties de discussie is gesloten en de besluiten zijn genomen, moeten zij onvoorwaardelijk door de gehele partij worden uitgevoerd, ook voor hen, die het er niet mee eens zijn.' Deze passage is Pim een doorn in het oog. Hij schrijft erbij: 'Niet eens met CPN-standpunten wijze van vergaderen'.[71]

In de loop van de jaren zeventig kiest Pim zonder al te veel overtuiging voor de PvdA, een partij waar hij zich eigenlijk nooit helemaal thuis zal voelen, ondanks zijn bijna idolate bewondering voor Joop den Uyl, een man die hij tot zijn laatste snik blijft bewonderen en van wie hij – net als van John F. Kennedy en Karl Marx – altijd een grote foto in zijn werkkamers zal hangen. Zijn toenmalige vriend en huisgenoot Ton Kee vat Pims flirt met de CPN als volgt samen: 'Pim is, net als ik, nooit lid van de

CPN geweest. Hij had er, hoewel hij er in strikt politieke zin dichtbij stond, weinig affiniteit mee; vooral de bekrompen, onvrije sfeer stond hem erg tegen. Wel had hij bewondering voor Fré Meis, ook al vond hij zijn opvattingen soms potsierlijk. Andersom wilde de CPN hem ook niet echt. Wel mocht hij het woord voeren bij het zogenaamde Volkscongres in 1975 en dan werd hij door de CPN gepresenteerd als een prominente PvdA'er, wat hij feitelijk niet was. In de PvdA nam men hem dit zeer kwalijk.'

## Pim komt uit de kast

Pim is in zijn studententijd nog niet openlijk homoseksueel. Hij zei er later over: 'Ik ben er betrekkelijk laat achter gekomen homoseksueel te zijn. Toen ik eenentwintig was, meen ik, in 1970; o nee, toen was ik al tweeëntwintig. In het milieu waarin ik opgroeide kwam zoiets niet in het vizier. Homoseksualiteit was iets voor kunstenaars en balletdansers, dat soort typen. (...) Homoseksualiteit, het kwam niet bij je op, je dacht er niet aan. Maar het lag natuurlijk wel al heel vroeg in je karakter opgesloten.'[72] Ton Kee: 'Pim had in zijn Amsterdamse tijd weinig zelfvertrouwen op seksueel vlak. Hij had zelf geen idee dat hij een aantrekkelijke man was. Hij was erg onzeker.' Het is dan ook opmerkelijk dat niemand minder dan Marius Ernsting Pim een heel opmerkelijke brief schrijft waarin hij uitgerekend aan Pim vraagt om een 'project homoseksualiteit' te beginnen. Hij vindt dat nuttig om een discussie te starten over de 'autoritaire erotiek en de autoritaire gezinssituatie en de potentiële aantasting daarvan door het verschijnsel homoseksualiteit en de reactie van de maatschappij'.

Fortuyn reageert niet op het ietwat warrige proza. Hij is dan nog niet uit de kast gekomen, al heeft hij al op jonge leeftijd homoseksuele gevoelens. Broer Marten zegt dat gemerkt te hebben aan de wijze waarop Pim als kleine jongen al (te) dicht tegen hem in bed aankroop. Marten: 'Achteraf is dat voor mij het eerste signaal dat hij homo was. Hij kreeg ook wel erecties. Overigens denk ik niet dat hij op jonge leeftijd al wist dat hij homo was. Het was nog latent.'

Volgens Pim hebben moeders van vriendjes al op zeer jonge leeftijd in de gaten dat hij homo is en wordt hij daarom genegeerd. Als hij vijftien is, zegt moeder Toos tegen Pims tante Tiny: 'Pim zal nooit trouwen,' waarna een stilte volgt.

In zijn biografie *Babyboomers* verhaalt Pim een aantal keren over zijn homoseksuele ervaringen als puber. Eerst op het Mendel, waar ene Jules hem vraagt zich uit te kleden. 'De machtige pik van Jules staat inmiddels recht overeind en mijne evenzo.' De jongens masturberen elkaar, waarna een zaadlozing volgt. Toch geeft Pim eerlijk toe in die tijd zijn homoseksuele geaardheid nog te ontkennen. Het komt in zijn milieu eenvoudigweg niet voor en is hooguit iets voor balletdansers. Pas als student begint Pim toe te geven aan zijn homoseksuele gevoelens. Het is september 1967 als zijn geaardheid voor hemzelf duidelijk wordt wanneer hij bij het katholieke studentencorps Thomas van Aquino zit. 'Ik vond het erg prettig om onder jonge mannen te zijn.' Maar ook dan nog houdt hij het bij die wetenschap.

Pim weet nog precies wanneer hij besluit er daadwerkelijk aan toe te geven: 'In 1970, toen ik 22 jaar was, kwam ik erachter niet op vrouwen maar op mannen te vallen en zag de wereld er heel anders uit.' Hij is daar enigszins hardhandig achter gekomen. In *Babyboomers* beweert Pim een verhouding met een vrouw te hebben gehad. Ze gaan plezierig met elkaar om totdat de vrouw ontdekt dat Pim homoseksueel is en dat aan Pim duidelijk maakt ('Pim, ik geloof dat je geen hetero bent, maar een flikker'). Guido* is Pims eerste homovriendje en met wederzijds goedkeuren belanden ze in bed. Een relatie vloeit er niet uit voort, maar Guido en Pim onderhouden nog een aantal jaren vriendschappelijk contact.

Het verhaal dat hij diverse malen vertelt, is 'de grote doorbraak'. Die komt na een televisieprogramma met Co Sterken, secretaris van het COC. 'Daarin zagen we voor het eerst het leven van een homoseksueel, compleet met bezoeken aan het Vondelpark. Dat bezoek was overigens overdag gefilmd. Uit de film maakte ik op dat je flikkers kon vinden in het Rosarium. Ik ging daar op een zonnige middag heen en trof er slechts jonge moeders met kinderwagens en kleine kleutertjes. Een diepe teleurstelling. Totdat ik het op een keer niet meer hield en nog eens ging kijken, nu in het holst van de nacht. En ja hoor, daar liepen de mannen, in stille pantomime van kijken, doorlopen, even blijven staan, weer doorlopen, weglopen of met elkaar de bosjes in. Daar heb ik mijn eerste seksuele

---

* Achternaam van Guido bij de auteur bekend, om privacyredenen beschermd.

contact gehad. Achteraf had het meer weg van een verkrachting dan van opwindende seks, zo zenuwachtig en onhandig was ik in de handen van mijn ervaren seksgenoot. Toch was ik na afloop ontzettend vrolijk en opgelucht. Het was eindelijk gebeurd, ik had gevreeën met een kerel.'

Er volgt een zeer actief leven als homo. Vooral de openheid over zijn homoseksualiteit tekent Pim. Maar hij heeft nog een lange weg te gaan. Lang niet iedereen accepteert dat hij homo is. Om te beginnen is daar vader Hein. Als Pim thuis vertelt dat hij homo is, negeert zijn vader hem. Hein heeft er lange tijd veel moeite mee. Voor de katholieke Kerk is homoseksualiteit in die tijd een taboe, en dus ook voor de gelovige katholieke vader Hein.

Tijdens een familiebijeenkomst laat Hein zich ontvallen: 'Ik heb een homozoon.' Schoonzus Tiny: 'Iedereen schrok toen hij dat zei, maar eigenlijk dachten ze het al lang. Hein had het er erg moeilijk mee.' Marten: 'Het feit dat Pim homo was, gaf een conflict met mijn vader. Volgens mijn vader kon dat niet. Hij mocht van pa ook niet meer naar de katholieke mis.'

Pim provoceert zijn vader graag. Als hij jubileert bij Vlaar Enveloppen, komt Pim gekleed in een leren broek en heeft hij om zijn nek een enorme ketting met een fallus eraan. Toch leidt Pim nog lange tijd een dubbelleven en geeft hij nog niet altijd en overal toe dat hij homo is.

Zus Tineke wordt telefonisch door Pim ingelicht dat hij uit de kast is gekomen. Tineke: 'Ik was daar aardig van ondersteboven. Ik was getrouwd en had kleine kinderen. Hij zei: "Ik heb pa en ma ingelicht en ik vind dat jij het ook moet weten.'" Hoewel er voldoende signalen waren, heeft ze het niet aan zien komen. Eigenlijk vindt ze Pim al die jaren een einzelgänger, al valt het haar wel op dat hij eigenlijk 'nooit vriendinnetjes had gehad'. Maar dat hij homo is, heeft ze niet bedacht. Simon: 'Mijn vader heeft heel raar op Pims homoseksualiteit gereageerd. Volgens hem was het een ziekte en moest Pim zich laten helpen. Pa zei tegen mij dat het "tijdelijk" was en dat Pim last had van een "dwaling". Ik zei uit de grond van mijn hart tegen vader: "Als het zo is dat hij homo is, dan is dat maar zo." Pim heeft die opstelling van pa nooit goed kunnen verwerken. Het heeft tot een breuk tussen beiden geleid. Moeder was heel begripvol. Ze omarmde Pim zoals hij was.'

Ellie Izeboud is in die periode aan de VU bezig met het thema 'seksuele bevrijding'. Pim en zij kunnen goed met elkaar opschieten. Izeboud: 'Ik trok in die tijd horoscopen. Dat was aan Pim wel besteed. Natuurlijk geloofde hij daar niet in, maar hij hoorde wel graag meer over zichzelf. Pim had narcistische trekjes. Hij was ijdel en trots op zijn lichaam. 's Ochtends rekte hij zich – naakt – uitgebreid uit op het balkon en hij liep ook graag naakt rond. (...) Pim was een echte mannenman. Hij vond mannenlichamen superieur aan vrouwenlichamen. Homoseksualiteit was voor hem bijna een levensbeschouwing.'

Pas in Groningen komt Pim ook voor de buitenwereld uit de kast. Een paar maanden voordat hij naar Groningen verhuist, wil hij zijn vertrouwenspersoon tante Flos informeren over zijn homoseksuele gevoelens.[73] Hij vertelt haar over 'de twijfels aan zijn seksuele geaardheid'. De dame reageert volgens Pim 'geëmotioneerd en afwijzend' en noemt homoseksualiteit 'een ziekte'. Dit verwachtte hij kennelijk niet van de erudiete, zachtaardige vrouw. Hij zegt door een diep dal te zijn gegaan, maar vertelt haar wel dat de verhouding die hij nu heeft een homoseksuele relatie is. Pim vraagt haar om het te aanvaarden – hoewel hij weet dat het haar pijn doet – want, zo schrijft hij: 'ik ben er gelukkig mee'. Hij vraagt haar er niet over te spreken met zijn familie. 'Niet dat ze het niet zouden mogen weten, ik wil het zelf aankaarten. (...) Ik heb geprobeerd het ze duidelijk te maken, maar ze praten er over heen. Het feit werd gewoon genegeerd. Ik denk dat ik het ze pas duidelijk kan maken als ik iemand kom voorstellen en zover is het nog niet.' Pim besluit met een liefdevolle groet in zijn brief aan zijn dierbare tante Flos.

Tante Flos blijkt hevig geschrokken te zijn van Pims brief en schrijft hem een verontschuldigende brief terug: 'Voor mij ben je Pim een jongen waar ik veel van ben gaan houden om zijn zuiverheid, plus nog een aantal eigenschappen waar ik het nu niet over wil hebben, maar die geheel door "eigen zijn" zijn plaats heeft veroverd (al hebben we het wel eens aan de stok gehad). Ik ben diep ontroerd en diep gelukkig, maar ook diep beschaamd door je brief. Je ontroert me omdat je vertrouwen geeft, diep beschaamd omdat door mijn toedoen een misverstand is ontstaan zodat ik de mogelijkheid tot uitspreken heb afgesneden en ik dus ongewild tekort ben geschoten in mijn vriendschap. Het is naar te weten dat je zo eenzaam naar mij bent geweest en ik je niet begrepen heb. In het andere heb ik nooit geloofd omdat je je wel degelijk als man presenteert. Ik hoop dat je ouders het met jullie kunnen verwerken en accepteren. Wees heel hartelijk omhelsd door de oude dame die jij de brutaliteit hebt te noemen (Tante) Flos.'

De deftige dame moet totaal overrompeld zijn geweest door Pims bekentenis. Ze was vooral verbaasd doordat Pim zich zo 'mannelijk' gedroeg en toch homoseksueel was. Ondanks de storm over Pims homoseksualiteit overleeft de vriendschap. De milde correspondentie doet beiden goed. Pim is niet meer de jongen, niet meer de student. Aan de vooravond van zijn vertrek naar Groningen als docent sociologie begint hij een echte meneer te worden. 'Ik heb een hang naar ruimte, licht en een zekere grootsheid, zowel in het leven van alledag als in het denken.'

# 6.

# Drs. Fortuyn en het begin van zijn Groningse jaren, 1971-1972

Waar hij zo lang zo veel waarde aan heeft gehecht, vervaagt tijdens zijn studie. Het katholieke geloof wordt – zoals in die jaren bij zoveel katholieken – tijdens zijn studie minder. Ton Kee, die Pim ook als student van dichtbij meemaakt, zegt: 'Ik heb nooit ervaren dat Pim erg gelovig was. Hij hield wel van het rooms-katholieke ritueel, vooral in het Latijn, en ook van religieuze muziek, maar naar de kerk ging hij zelden.'

Na een kort verblijf aan instituut Nyenrode in Breukelen als docent sociologie, waar hij vooral erg goed wordt betaald, maar waar de aanstelling tijdelijk is omdat het hele instituut dreigt te verdwijnen, wordt Pim gevraagd om docent in Groningen te worden. Hij heeft dan al een aanbod afgeslagen om docent sociologie in Bagdad te worden. Volgens vriend Ton Kee heeft Pim 'heel serieus overwogen om begin jaren zeventig die stap te maken'.

Het wordt dus Groningen. Pim is vol trots en goede moed als hij de weg naar het hoge noorden inslaat. Hij vestigt zich in de troosteloze, naoorlogse wijk Leeuwenborg, helemaal aan de rand van de stad, grenzend aan kale landerijen. Op 28 augustus 1972 komt hij aan in Groningen; voor de noorderlingen is dat een bijzondere feestdag (Bommen Berend, het Gronings ontzet), omdat hij herinnert aan het mislukte beleg door de bisschop van Munster in het rampjaar 1672. Moeder Toos komt met Pims tante Rie het flatje inrichten en tante Flos komt ook langs. Zijn woning aan de Meerpaal is ver verwijderd van de bruisende binnenstad. Hemelsbreed is de aardgasrijke goudmijn uit die jaren, Slochteren, nog dichterbij.

Studievriend Marius Ernsting zoekt hem samen met zijn vrouw op in Groningen. Ernsting: 'Pims flat stond nog een beetje in het zand. Hij had wel een terras en ik zie nog hoe hij op ons stond te wachten met zijn kamerjas aan en een sigaar in zijn mond. Het beeld van het Palazzo di Pietro (zijn latere woning in Rotterdam) tekende zich al een beetje af. We hadden ons pasgeboren zoontje Zeeger bij ons. Ingrid, mijn vrouw, zei: "Gôh wat lief hè." Pim antwoordde direct: "Vrouwen die dat soort dingen over huilende kinderen zeggen zal ik nooit begrijpen."'

Langzaam maar zeker verwateren de contacten met zijn Amsterdamse vrienden. Pim wordt volwassen. Zijn persoonlijkheid begint zich steeds meer uit te kristalliseren. Jaren later kijkt hij in de spiegel en typeert zichzelf in een nooit gepubliceerde kladversie van *Babyboomers* als volgt: 'De onverschilligheid van de buitenwereld [tegenover hem, L.O.] brengt mij in een gecompliceerde relatie met mijn omgeving. Ik heb de neiging mij, zo nu en dan zelfs verongelijkt, terug te trekken, een neiging die vervolgens weer wordt gecompenseerd, door mij zeer uitdrukkelijk aan de buitenwereld te tonen. (...) Voel ik mij niet op mijn gemak en is mijn omgeving mij vijandig, dan ben ik een killer. Het is een uiterst beheerste woede, die mijn intellect scherpt en feilloos de zwakke plekken doet vinden in de emotionele en intellectuele verdedigingslinies van mijn "tegenstanders".'

In Groningen wordt hij voor het eerst geconfronteerd met ferme intellectuele tegenstand, met opponenten die hem dwarsbomen. Dat begint al bij de sollicitatieprocedure, waar zijn aanstelling eindeloos wordt vertraagd. Hij heeft gesolliciteerd naar de functie van docent bij de vakgroep Filosofie en Maatschappijwetenschappen, die zich richt op de 'kritische theorie en het marxisme'. Aanvankelijk zijn ze in Groningen heel enthousiast over hun nieuwe aanwinst, tot ze erachter komen dat hij een van de bezetters van het VU-hoofdgebouw is geweest. 'Groningen werd een beetje huiverig,' aldus Pim. Op zijn wetenschappelijke kwaliteiten valt niets aan te merken, maar een van de hoogleraren heeft het idee dat Pim 'niet in teamverband kon werken'. Het is het eerste obstakel op de zo door hem gewenste grote carrière en er zullen er nog vele volgen. Maar voorlopig heeft hij een mijlpaal bereikt met een baan in de wetenschap.

Pim zal alles op alles moeten zetten om een positie binnen het nieuwe milieu te veroveren, maar de wat eenzame, leergierige man is klaar voor de nieuwe stap. Vanuit het anonieme straatje begint zijn lange mars door de academische wereld in Groningen. Hij kiest voor de wetenschap omdat hij zich wil meten met de slimste en invloedrijkste personen van de samenleving en bij die groep wil horen. Het bedrijfsleven heeft in die tijd niet de status van de universiteit, anders had Pim wellicht een zakelijke carrière overwogen. In ieder geval heeft hij zichzelf een doel gesteld: om onderdeel van de elite te worden.

Hoewel de vierentwintigjarige zich frank en vrij uit en zich steeds meer manifesteert, is Fortuyns persoonlijkheid nog niet helemaal ontpopt. Zijn katholieke opvoeding blijft een groot stempel op zijn leven drukken. Inmiddels komt ook zijn homoseksuele aard langzaam maar zeker naar boven en die geeft een bijzondere dimensie aan zijn leven. Pim is eenzaam, misschien nog te onopvallend, maar wel ambitieus en op zoek naar erkenning. Hij is kwetsbaar, maar zeker niet weerloos. En hij zal ooit 'het centrum' van de macht bestormen en zijn aanval openen op de door hem verfoeide elite: de gevestigde paarse macht. Niet het paars van de Paus, maar het paars van Kok, Melkert, Dijkstal en Borst.

JANS ARI FRANS  x  TRIJNTJE TIJS KUYT
  (1733-1793)

    THIJS JANS FORTUIJN  x  MARIJTJE ZOMER
       (1780-1833)         (1798-1843)
    Doopsgezind koopman      Katholiek

         JOANNES FORTUYN  x  TRIJNTJE BREEUWER
           (1824)              (1826-1868)
    Eerste Fortuyn die katholiek
      wordt opgevoed,
    kaashandelaar/winkelier
       in Krommenie

           HENDRIK (HEIN) FORTUYN  x
              (1855-1920)
          Eierhandelaar,
      overgrootvader van Pim

             SIMON PETRUS FORTUY?
            (1887-1962)
         Eierhandelaar,
       grootvader van Pim

# Stamboom familie Fortuijn (Fortuyn)

MARIJTJE OUDEJANS
(1853-1932)

CATHERINA THERESIA SMIT
(1891-1982)
Grootmoeder van Pim

DRIK CASPER FORTUYN    X    JACOBA EVERHARDA DE WEIJER
(1914-2002)                            (1915-2000)
Vader van Pim            Moeder van Pim, dochter van Marten de
Weijer (1866-1921) en Everharda Hendriks
(1873-1943), Pims grootouders die hij nooit
gekend heeft.

TINEKE EVERHARDA MARIA
(Wormerveer, 20 mei 1939)
MARTEN SIMON
(Wormerveer, 10 mei 1943)
WILHELMUS SIMON PETRUS
(Velsen, 19 februari 1948 – Hilversum, 6 mei 2002)
ERVERHARDA JACOBA MARIA
(Velsen, 13 april 1949 – 18 april 2005)
JOZEF HENRICUS CASPER
(Velsen, 19 maart 1952 – 14 juni 1970)
SIMON ADRIAAN FRANCISCUS
(Driehuis, 17 december 1954)

# Verantwoording

Voor dit boek zijn interviews gehouden met de volgende personen:

Marten Fortuyn
Henriëtte Fortuyn-van Hoffen
Tineke Fortuyn
Simon Fortuyn
Christina Fortuijn-Beemsterboer
Maike Koster-Fortuijn
Willemine Henriette Moskowsky-de Vaynes van Brakell
    Buys
Eelco Graafsma
Marius Ernsting
Ton Kee

Correspondenties zijn gevoerd met:

Theo Schuyt
Albert Benschop
Ellie Izeboud
Theo Kletter
Ton Kee

De geciteerde uitspraken van W.S.P. (Pim) Fortuyn zelf zijn afkomstig van de volgende bronnen:

Pim Fortuyn, *Babyboomers, Autobiografie van een generatie*, Uithoorn, 1998

Jan Brands, *Onafhankelijk, ongrijpbaar, alleen*, Amsterdam, 2002

Pim Fortuyn, *De geboorte van Prins Willem, een notitie*, 25 juli 1995; dit is een opmaat naar *Babyboomers*

Nynke de Zoeten, *Een generatie in protest? Een onderzoek naar de levensloop van studentenleiders uit de jaren zestig*, Rotterdam, 1995

Verder werd gebruikgemaakt van de studiegidsen van het Mendelcollege Haarlem van de jaren 1960/1961 tot en met 1965/1966, alsmede van het schoolorgaan *Mendel Vendel* uit deze jaren.

Het copyright van de foto's berust bij Marten Fortuyn.

# Noten

1. *Elsevier*, interview met Hugo Camps, 1 september 2001.
2. W.S.P. Fortuyn, *De puinhopen van acht jaar Paars*, blz. 39 en 40.
3. *De Telegraaf*, 7 mei 2002.
4. Volgens Siebe Rolle, oud-gemeentearchivaris van Velsen, stond Stationsweg 105 rood – waar Pim Fortuyn in 1948 is geboren – in het gebied dat toen tot het dorp Velsen behoorde en niet in IJmuiden. De spoorlijn Haarlem-Alkmaar was de grens tussen beide gebiedsdelen. Het geboortehuis stond direct ten oosten van de spoordijk, in het Velsense deel.
Tegenwoordig wordt dit gebied – waar de huizen zijn afgebroken vanwege de verbreding van het Noordzeekanaal – Velsen-Zuid genoemd. De gemeente Velsen anno 2012 is een verzamelnaam voor de gemeentedelen Velsen-Noord, Velsen-Zuid, IJmuiden, Driehuis, Santpoort-Noord, Santpoort-Zuid en Velserbroek. (Uit een brief aan de auteur van 25 augustus 2010, verstuurd door de afdeling Publiekszaken van de Gemeente Velsen.)
5. Het gaat naar alle waarschijnlijkheid om buurman Abelsberg, die aan het kraambed zit. Hij woonde op Stationsweg 105 zwart.
6. De geboorteakte zegt dat Wilhelmus Simon Petrus Fortuyn 'in het huis Stationsweg honderd vijf is geboren'. Geboorteakte W.S.P. Fortuijn, duplicaat 25 augustus 2010, ge-

meente Velsen. In een begeleidende brief van de Gemeente Velsen, afdeling Publiekszaken, van 25 augustus 2010 wordt het volgende gesteld: 'Uit de geboorteakte blijkt dat de heer Fortuijn is geboren op Stationsweg 105r Velsen-Zuid in de gemeente Velsen. De heer Fortuijn is dus thuis geboren. De ouders van de heer Fortuijn, te weten Hendrik Casper Fortuijn en Jacoba Everharda-de Weijer, zijn op 20-10-1945 ingeschreven op Stationsweg 105r Velsen-Zuid in de gemeente Velsen.'

De geboorte van Pim Fortuyn staat ook vermeld in de geboorterubriek van de *IJmuider Courant* van zaterdag 21 februari 1948: 'geboren als zoon van de Weijer (zijn moeder), Stationsweg 105'.

7. Mevr. C.J.M. Fortuijn-Beemsterboer (1926), een aangetrouwde tante, is voor zover bekend de enige die nog in het bezit is van het originele geboortekaartje van Pim Fortuyn.
8. Zie het doopboekje waarin Pim staat ingeschreven. Archief W.S.P. Fortuyn.
9. Archief W.S.P. Fortuyn.
10. Archief W.S.P. Fortuyn.
   Omtrent de schrijfwijze van de naam Fortuyn zijn gegevens ontleend aan:
   – *Familiegeschiedenis*, Driehuis, 12 november 1994. Aangeboden ter gelegenheid van de tachtigste verjaardag van Hendrik Casper Fortuyn (Hein). Vermeld staat als stamhouder van de familie Fortuijn: 'Jan Arifans Fortuyn – ook wel Fortuin of Vertuin', geboren op 9 mei 1733 te Westzaan, aldaar overleden op 30 juni 1793.
   – Het Doop-, Trouw- en Overlijdensboek van de Doopsgezinde Gemeente te Westzaan van de jaren 1706 tot 1810.
   – Het Familieboekje, afgegeven door de gemeente Wormerveer omstreeks 1880.
   – Een officiële overlijdenskaart van Matheus Vortuin, geboren te Krommenie op 20 november 1845 en overleden op 3 april 1898 in Amsterdam; deze bevindt zich in het archief van W.S.P. Fortuyn.

– Een officiële overlijdenskaart van Joannes Fortuin, Westzaan 11 februari 1824, overleden op 23 juli 1890 in Amsterdam; deze bevindt zich in het archief van W.S.P. Fortuyn.
– Een officiële overlijdenskaart van Dorothea Jacoba Fortuijn, geboren te Wormerveer op 27 juli 1920, overleden in
Rotterdam op 22 juni 1962 (tante van Pim); deze bevindt
zich in het archief van W.S.P. Fortuyn.

11. Archief W.S.P. Fortuyn.
12. *De Typhoon: dagblad voor de Zaanstreek*, 10 april 1969, 'Eier-
    handel firma Fortuyn eens een van de grootsten' van
    T. Neuhaus. Bij het artikel is een foto geplaatst van Pims
    grootvader Simon Fortuyn, waarop hij staat afgebeeld zit-
    tend op de bok van een door een paard getrokken wagen,
    zweep in de hand, sigaret in de mond en de kar volgeladen
    met eierdozen.
13. Handgeschreven notitie over de familiegeschiedenis van
    Hein Fortuyn, vader van Pim.
14. Archief W.S.P. Fortuyn.
15. Ibidem.
16. *Na omzien in vreugde het oog richten op de toekomst: 100 jaar
    katholiek onderwijs in Wormerveer*, blz. 29 e.v.
17. In Memoriam over H. Fortuijn: 'Zaterdagmorgen overleed
    alhier na een smartelijk, doch geduldig gedragen lijden een
    der katholieke voormannen onzer parochie de heer H. For-
    tuijn'. Zonder bron en datering gevonden in de archieven
    van W.S.P. Fortuyn.
18. *Encyclopedie van de Zaanstreek*, Wormerveer, 1991, onder het
    lemma 'eierhandel'.
19. *Het ontstaan van de* NMB, hoofdstuk 8 'De ondergang van de
    Hanzebanken', blz. 165.
20. Ibidem, blz. 163.
21. *IJmuider Courant*, 20 februari 1948.
22. *IJmuider Courant*, 19 februari 1948.
23. 'Een ongeregeld zootje in de Breesaap', Ko van Leeuwen,
    in de *IJmuider Courant*, datum onbekend. Zie
    www.velsenonline.nl.

24. Geboorteakte W.S.P. Fortuyn, omschrijving beroep vader.
25. De Velser spoorbrug uit 1904 was de grootste spoorweg-draaibrug van Europa. De familie Fortuyn had vanuit het raam aan de Stationsweg uitzicht op deze brug.
26. Van Pim Fortuyns geboorte- en eerste woonhuis is een foto bewaard gebleven. IJsbrand Paulus weet over Pims geboor-tehuis in de *IJmuider Courant* van 2 juni 2005 te melden: 'De familie woonde op de bovenverdieping. Op de begane grond stonden ketels waarin tijdens de oorlog eten was be-reid. Het pand deed toen dienst als gaarkeuken.' Het huis werd bij de derde verbreding van het Noordzeekanaal in 1963 gesloopt.
27. *Eene Plaats van grooten omvang/Honderd jaar IJmuiden en het Noordzeekanaal 1876-1976*, Theun de Vries e.a., IJmuiden, 1976, blz. 194.
28. Notities van Hein Fortuyn over zijn familie en eigen gezin. Archief W.S.P. Fortuyn.
29. Ibidem.
30. Ibidem.
31. *Korte onderrichting over het huwelijk*, Breda, 1917, blz. 7 punt b.
32. Notities van Hein Fortuyn. Archief W.S.P. Fortuyn.
33. Ibidem.
34. Interview met Gerard Klaasen, *Andersdenkenden*, KRO-RKK, 5 oktober 2001.
35. Pims zus Eefke in de *IJmuider Courant* van 9 maart 2002, opgetekend door Anneke Wijsman.
    'Anders dan mijn broer en zusjes hoorde ik nergens bij. Ik was vooral op mezelf.' Pim Fortuyn sprak in 1993 voor het eerst publiekelijk over zijn eenzame jeugd met Jan Brands, die lange gesprekken met hem had. Fortuyn: 'Ik dacht al heel vroeg: ik ben een bijzonder iemand' [...] Het gevoel al-leen te staan ken ik al van jongs af aan.' Brands noteerde verder uit Pims mond: 'Ik stond aan de rand van de stoep. Al mijn vriendjes werden door hun moeders in auto's gestopt om mee te gaan naar het strand. Ik wilde ook instappen, maar zij zeiden: "Nee, jij niet." Ik zie me nog staan, een

klein ventje vechtend tegen zijn tranen: "Ik huil niet, ik huil niet." Toen heb ik heel basaal gekozen, eigenlijk voor een leven alleen.'

Pas in 2002 werden de interviews van Brands met Fortuyn als boek gepubliceerd onder de titel *Onafhankelijk, ongrijpbaar, alleen; gesprekken met Pim Fortuyn*. Overigens gaf Fortuyn nog voor zijn dood toestemming voor de publicatie ervan.

36. Brief aan ouders, 13 september 1978. Archief W.S.P. Fortuyn.
37. D.J.F. Bosscher in *De Nederlandse rooms-katholieken in een overgangstijd. Rustig te midden van de woelige baren*, blz. 9.
38. *De Sint Engelmundus, moederkerk van Zuid-Kennemerland*, Velsen-Driehuis, 1958, blz. 41.
39. Het schoolrapport bevindt zich in het archief W.S.P. Fortuyn.
40. Ibidem.
41. Mendelcollege Haarlem, gids 12e cursus 1964-1965, blz. 33.
42. Ibidem, blz. 33.
43. John Dighton, *De gelukkigste dagen van je leven*, opvoering 21, 22 en 23 februari 1965, Mendelcollege Haarlem. Archief W.S.P. Fortuyn.
44. Mendelcollege, 8e schooljaar, 1960-1961, blz. 45.
45. Speciaal voor het afscheid van Hutjens verscheen een nummer van *Mendel Vendel* onder redactie van D. Bergfeld e.a. Pater drs. V.J. Hutjens, rector van 1 september 1953 tot 31 december 1966.
46. Zie archieven W.S.P. Fortuyn.
47. *Sursum Corda*, officieel parochieblad voor het bisdom Haarlem, 17 februari 1967. Archief W.S.P. Fortuyn
48. In het boekje *Het begon op de hei...* wordt een beschrijving gegeven van de vele mogelijkheden die het rooms-katholieke leven in 1960 in IJmuiden biedt.
49. Notitieboek Gilwellcursus 2, augustus 1966. Archief W.S.P. Fortuyn.
50. Dit dagboekje bevindt zich in het archief van W.S.P. Fortuyn.

51. *Jaarboek Parlementaire Geschiedenis 4*, 2002, 'Ik wil in de politiek', een brief van de negentienjarige Pim Fortuyn, blz. 99 e.v.

52. Over Pim Fortuyns oorspronkelijke wens om priester te worden en het uiteindelijke besluit om daarvan af te zien, zie: archief Bisdom Haarlem-Amsterdam, correspondentie W.S.P Fortuyn met de bisschop van Haarlem Mgr. Th. Zwartkruis, 9 en 14 april 1967. Latere correspondenties met de preses van het Groot Seminarie, afdeling Theologicum in Warmond, W.J. de Graaff.

Na de moeizame beslissing om geen priester te worden, zou Pim Fortuyn de kerk nooit helemaal vaarwel zeggen. Er waren lange periodes waarin hij zich weinig betrokken voelde bij de katholieke kerk en tijden waarin hij zelfs weer te biecht ging. Pim Fortuyn stelt in *De puinhopen van acht jaar Paars* (blz. 55) dat hij in zijn latere leven 'nimmer' heeft 'afgegeven op, noch [...] afgezet tegen het katholicisme en tegen de katholieke kerk'. Die houding tegenover de kerk verklaarde hij uit het werk van de paters die in zijn schooljeugd zo'n belangrijke rol speelden: 'Naast leed hebben zij [de paters – L.O.] mij zo ontzettend veel moois en warms gebracht, zodat ik degene heb kunnen worden die ik ben.'

53. Pim verhuist naar de P.C. Hooftstraat 134 in Amsterdam. Op deze etage woont Pim samen met Miep Muller, het nichtje van tante Flos. Bron: gemeente Velsen Publiekszaken (bevolkingsregister).

54. Pim verhuist naar J.W. Brouwerstraat 20hs in Amsterdam. Bron: gemeente Velsen Publiekszaken (bevolkingsregister).

55. Op basis van berekeningen van Marten Fortuyn, gebaseerd op het toenmalige (bescheiden) salaris van vader Hein, kan Pim – aldus zijn broer Marten – nooit een dermate hoge tegemoetkoming hebben gekregen van zijn ouders.

56. *De Frankfurter Schule*, weergave van de gelijknamige lezingencyclus georganiseerd door Studium Generale, Erasmus Universiteit, Rotterdam, 1988, blz. 21.

57. RIA staat voor Religione Iunctae Amitaque, de vrouwen-

afdeling binnen de katholieke studentenvereniging Sanctus Thomas Aquinas.

58. In werkelijkheid overleefde Marten het ongeluk en beschikte het huis van de Fortuyns in Driehuis niet over een oprijlaan.

59. *Bijzondere studenten: 40 jaar studentenbeweging aan de Vrije Universiteit*, R. Van den Berg e.a., Amsterdam, 1989, blz. 78.

60. Pim is inmiddels verhuisd naar Uilenstede 216-1511 in Amstelveen (verhuisdatum 23 december 1969). Bron: gemeente Velsen Publiekszaken (bevolkingsregister).

61. *Gaius, de onverstoorbare gang van W.F. de Gaay Fortman*, Willem Breedveld en John Jansen van Galen, Oudewater/Amsterdam, 1996, blz. 141.

62. Brochure verschenen ter gelegenheid van het congres op 12 en 13 december 1969 aan de VU Amsterdam.

63. Brief archief W.S.P. Fortuyn, 1 oktober 1970.

64. *Mundus Bulletin*, 18 april 1972.

65. Prent familiewapen, archief W.S.P. Fortuyn.

66. *Trouw*, 25 februari 1972.

67. *Gaius, de onverstoorbare gang van W.F. de Gaay Fortman*, Willem Breedveld en John Jansen van Galen, Oudewater/Amsterdam, 1996, blz. 142.

68. Interview met *Frontaal*, januari 1991.

69. Interview met Pim Fortuyn in het *VU Magazine*, november 1993, 22e jaargang nummer 10, blz. 13. Zie ook Brands, blz. 55: 'Ik wenste geen lid te worden van de CPN.'

70. Archief CPN-IISG, Amsterdam.

71. Statuten van de Communistische Partij van Nederland, Keizersgracht 324, Amsterdam. Archief W.S.P. Fortuyn.

72. Interview met Pim Fortuyn in het *VU Magazine*, november 1993, 22e jaargang nummer 10, blz. 14.

73. Brief aan Tante Flos, Amstelveen, 9 februari 1972. Archief W.S.P. Fortuyn.

74. Theo Kletter in een e-mail aan de auteur, 10 mei 2011: 'Bij het herlezen van de passages uit Fortuyns *De puinhopen van acht jaar Paars* (2002) en *Autobiografie van een babyboomer* (2002),

die handelen over Pims Mendeltijd, ontdekte ik wederom dat Pim Fortuyn wel heel slordig is omgesprongen met feiten uit de geschiedenis van het Mendelcollege, en mede daardoor een vertekend beeld geeft van de omstandigheden, waaronder pater drs. V.J. Hutjens o.s.a. in de zomer van 1965 met ziekteverlof ging.'

# Bibliografie

J.H.A.M. Anten, *Driehuis*; uitgave ter gelegenheid van de restauratie van de tachtig jaar oude Sint-Engelmunduskerk in 1974/1975.

Jan van Baarsel, *IJmuiden in de Branding*, IJmuiden, 1980.

*Bijzondere studenten, 40 jaar studentenbeweging aan de Vrije Universiteit*, Amsterdam, 1989.

*Biografisch woordenboek* (beschrijvingen van diverse bisschoppen).

Anne Bos en Johan van Merriënboer, 'Ik wil in de politiek'; een brief van de negentienjarige Pim Fortuyn in het *Jaarboek parlementaire geschiedenis 2002*, Nijmegen, 2002.

D.F.J. Bosscher, *De buitenkant van Fortuyn*, documentatiecentrum Nederlandse politieke partijen, jaarboek 2003.

D.F.J. Bosscher, 'De Nederlandse rooms-katholieken in een overgangstijd. Rustig te midden van de woelige baren'; essay in *Seksueel misbruik van minderjarigen in de rooms-katholieke kerk, deel 2 achtergrondstudies*, Amsterdam, 2011.

D.F.J. Bosscher, 'Tot uw dienst! De buiten- en de binnenkant van Pim Fortuyn', in *Machtige Lichamen*, Amsterdam, 2005.

Jan Brands, *Onafhankelijk, ongrijpbaar, alleen; gesprekken met Pim Fortuyn*, Amsterdam, 2002.

Willem Breedveld en John Janssen van Galen, *Gaius – De onverstoorbare gang van W.F. de Gaay Fortman*, Utrecht, 1996.

J. Chorus en M. De Galan, *In de ban van Fortuyn; reconstructie van een politieke aardschok*, Amsterdam, 2002.

Het fenomeen Fortuyn, de Volkskrant/Meulenhoff, 2002.

Pim Fortuyn, *Babyboomers; autobiografie van een generatie*, Utrecht, 1998.

Pim Fortuyn, *De verweesde samenleving*, Utrecht, 1995.

Pim Fortuyn, *De puinhopen van acht jaar Paars*, Rotterdam, 2002.

*De Frankfurter Schule*; lezingencyclus, Erasmus Universiteit Rotterdam, Studium Generale, Rotterdam, 1988.

Frank van Geffen, *100 jaar scouting in Nederland*, Baarn, 2009.

Rob Huizinga, Jaap Schols en Willem Kolkman, *Driehuis; middenstand in Beweging*, Haarlem, 2006.

Harry van Kaam, *Het begon op de Hei... Uitgave ter gelegenheid van het 50-jarig bestaan van kerk en parochie H. Laurentius van Brindisië te IJmuiden-Oost*, Haarlem, 1959.

Hugo Kijne, *Geschiedenis van de Nederlandse studentenbeweging 1963-1973*, Amsterdam, 1978.

N.P. Passchier, 'Katholieke ontzuiling, kerkelijke binding en context', *Sociologische Gids*, 1987/2.

*De Pauselijke Encyclieken*: Mit Brennender Sorge (Rome, 1937), Sacerdotalis caelibatus (Rome, 1967), Popularum Progressio (Rome, 1967), Humanae vitae (Rome, 1968).

Dick Pels, *De geest van Pim; het gedachtegoed van een politieke dandy*, Amsterdam 2003.

Siebe Rolle, *Gisteren haast onherkenbaar Velsen Toen en Thans*, IJmuiden, 1982.

Siebe Rolle, *Kroniek van Driehuis*, IJmuiden, 1994.

Siebe Rolle, *Velsen-IJmuiden 1935-1985, onvergetelijke beelden*, Zaltbommel, 2005.

Siebe Rolle en Pieter van Hove, *Velsen-IJmuiden – Doorsnee van Holland*, Haarlem, 2008.

Piet de Rooy, 'Fortuijn, Wilhelmus Simon Petrus (1948-2002)', in *Biografisch Woordenboek van Nederland*.

*De Sint Engelmundus, moederkerk van Zuid-Kennemerland*, Velsen-Driehuis, 1958.

Drs. J. Stoffer, 'De ondergang van de Hanzebanken' in *Het ontstaan van de* NMB, Deventer, 1985.

Studiegids Mendelcollege Haarlem, jaargangen 1961, 1963, 1964, 1965, 1966.

*Uit de Kast*, de mooiste columns uit *Homonos*, Amsterdam, 1994.

Ine Veen, *Moord namens de 'Kroon', het ultieme leven van Pim Fortuyn*, Soesterberg, 2007.

H. te Velde, 'Passie, theater en narcisme' in *Pluche*, 1 (winter 2003).

Bertus Voets, *En hij bouwde een brug; verhaal van achttien jaar katholieke geloofsgemeenschap onder Zwartkruis in Noord-Holland*, Hoorn, 1984.

Hans Wansink, *De Erfenis van Fortuyn*, Amsterdam, 2004.

Liesbeth Wytzes, *Pim Fortuyn; oprecht en onmogelijk deel 1 en deel 2*, 13 juli 2002/24 oktober 2006.

Nynke de Zoeten, *Een generatie in protest? Een onderzoek naar de levensloop van studentenleiders uit de jaren zestig*, Amsterdam, 1995.

## Dvd's:

*Ik kom er aan*, Speakers Academy, 2003.

*Villa Felderhof*, Vanessa en Pim Fortuyn, NCRV, 2003.

Het Concilie, de kerk in deze tijd, namens de bisschoppen Bernard Alfrink, aartsbisschop van Utrecht, Utrecht, september 1963.

## Geraadpleegde archieven:

Archief Communistische Partij van Nederland – IISG, Amsterdam

Archief W.S.P. Fortuyn – IISG, Amsterdam; Gemeentearchief Rotterdam

Archief Bisdom Haarlem-Amsterdam

# Dankwoord

Pim Fortuyns jeugd levendig beschrijven was niet gelukt zonder de hulp van zijn generatiegenoten, zijn leermeesters, zijn vrienden en zijn familieleden.

Ik ben veel dank verschuldigd aan Pims oudste broer Marten Fortuyn en diens vrouw Jet Fortuyn-van Hoffen. Steeds weer zochten zij in de zolderkamertjes van hun geheugen naar treffende herinneringen. Het leverde menig pareltje voor dit boek op. Pims oudste zus Tineke en zijn jongste broer Simon hielpen voortreffelijk mee om vondsten op hun waarde te schatten.

Baukje Schuling, de vrouw die jarenlang het Palazzo die Pietro in Rotterdam onder haar hoede had, was de eerste die mij vertrouwen schonk en de weg opende naar het prachtige project over Pim Fortuyns leven.

Pim zou in 2012 64 jaar zijn geworden. Dit betekent dat steeds minder van zijn leermeesters nog in leven zijn. Een van hen wil ik expliciet met groot respect danken: de oud-rector van het Mendelcollege in Haarlem Theo Kletter, inmiddels een tachtiger. Hij had tijdens dit onderzoek nogal eens gezondheidsklachten, maar heeft desondanks met onverminderde ijver over 'zijn' Mendelcollege gememoreerd. Hij schreef mij over zijn oud-leerling en wees op omissies, wat hij noemde 'aperte onjuist-heden', die Pim Fortuyn volgens hem in zijn boeken maakte. Zo schreef hij mij een notitie over de vele on-juistheden die volgens hem in *De puinhopen van acht jaar Paars* staan. Eentje daarvan wil ik de lezer niet onthou-den. Kletter is kritisch over bladzijde 54 van dit boek: 'Pim schreef: "De rectorkamer had een inpandig balkon dat op de grote hal en het trappenhuis uitkeek. Daarop verscheen rector Hutjens gedurende elke lessenwisseling als de grote verhuizing naar een ander lokaal begon."' Maar Kletter corrigeert: 'In werkelijkheid lag de rector-kamer in de bovengang, die door klapdeuren van de bo-venhal was gescheiden. Het inpandige balkon in die ka-mer is een product van de fantasie van Pim Fortuijn.'[74]

Kletter blijft de naam Fortuyn na al die jaren exact zo schrijven als hij in Pims paspoorten staat: als Fortuijn!

Willemine Henriette Moskowsky-de Vaynes van Bra-kell Buys oftewel 'tante Flos' wil ik met nadruk noemen. Ondanks haar eerbiedwaardige leeftijd – ze hoopt in 2014 honderd jaar te worden – had zij nog veel levendige herinneringen aan Pim. Hoewel ze in later jaren niets van de politieke opvattingen van 'haar' Pim moest hebben, bleef ze hem zien als een stiefzoon.

Eelco Graafsma wees mij de weg in Driehuis en de we-reld van de katholieke verkenners. Zijn goede geheugen was heel behulpzaam. IJsbrand Paulus toerde met mij, Marten en Jet Fortuyn door het soms onherkenbaar ver-anderde Velsen. Paulus' liefde voor deze wat tochtige ha-venplaats is ongeëvenaard.

Marius Ernsting onderwees mij over de studentenbe-weging. Zijn geestdrift voor de 'strijd' van toen is nog altijd een beetje levend. Ton Kee nam de tijd om de romantische kant van de studentenbeweging ten zeerste te relativeren (maar wel met humor). Nynke de Zoeten stelde niet alleen haar afstudeerscriptie beschikbaar, maar ze zocht en vond ook de authentieke opnamen van haar gesprek met Pim Fortuyn.

Op Floor Twisk, de archivaris van het bisdom Haarlem, is het spreekwoord 'zoekt en gij zult vinden' van toepassing. De vondst over de priesterroeping van Pim beschouw ik als heel bijzonder.

De Bezige Bij is een fantastische uitgever voor gepassioneerde biografen. Veel dank voor het geduld van mijn uitgever Robbert Ammerlaan. Vanaf het prille begin geloofde hij in dit bijzondere project. Dit eerste boek is mede dankzij hem tot stand gekomen. Dank ook aan Suzanne Holtzer, die mij op weg hielp. Zonder de empathische en gedisciplineerde begeleiding van Floor Oosting was dit boek er niet gekomen. Haar kritische, precieze en stimulerende opmerkingen houden mij scherp. Henk Pröpper deed een aantal waardevolle suggesties. Pascalle Veltstra dank ik voor de bureauredactionele begeleiding.

En dan zijn er nog enkele mensen die ik wil bedanken, allereerst Jos van Dijk, die het archief van de CPN beheert, en Hans Mesdag, die orde in Pims archief schiep door een inventaris op te stellen.

Veel dank ook aan al die behulpzame medewerkers van het Instituut voor Sociale Geschiedenis. Speciaal wil ik de medewerkers van de leeszaalreceptie bedanken, en ook de IISG-medewerkers Eric de Ruijter, Frank de Jong en Erik-Jan Zürcher voor hun betrokkenheid. Het was oud-IISG-directeur Jaap Kloosterman die Pims archieven voorlopig onderdak bood in Amsterdam. Jantje Steenhuis, directeur van het Gemeentearchief Rotterdam – waar de archieven hun definitieve bestemming krijgen – droeg bij aan een gesmeerde samenwerking.

Paul Scheffer en Marco Pastors gaven inhoudelijke adviezen.

Intellectueel is Henk te Velde, hoogleraar vaderlandse geschiedenis aan de Universiteit Leiden, mijn grote steun en toeverlaat. Bij hem hoop ik op de biografie over Fortuyns leven te promoveren. Hem dank ik voor zijn wijze opmerkingen.

Jan 't Hooft, Pims boezemvriend, is ook zo iemand die het project een warm hart toedraagt. Hij stelde enkele brieven aan mij beschikbaar, waarvoor veel dank.

Graag bedank ik ook Jan Brands, Liesbeth Wytzes, Dick Pels, Menno de Galan en Jutta Chorus voor de door hen beschikbaar gestelde privéarchieven, documenten en bandopnamen. Een andere biograaf – Anet Bleich – gaf tips over de valkuilen waar een biograaf niet in moet lopen. Andere mensen die ik niet wil vergeten zijn: Ernst Pans, Alex Heukers, mijn oude compagnon Max van Weezel, Cyrille Fijnaut, Bram Peper, Guusje ter Horst, Siebe Rolle, Dennis Bos, de documentalisten van BZK, Han Hornung en Kees van der Goorbergh en de veel te jong overleden documentalist van de VPRO Irma Hogers.

Mijn eindredacteur van het programma *Buitenhof*, Corinne Hegeman, maakte het mogelijk dat ik een halfjaar met onbetaald verlof kon gaan om ongestoord aan het boek te werken. Andere *Buitenhof*-collega's zoals Herman Schulte Nordholt namen in die maanden klussen over die eigenlijk voor mij bestemd waren.

Mijn familieleden moeten soms gek zijn geworden van mijn fascinatie voor de jonge Pim. Mijn dochter Charlotte werkte banden uit. Anne, Emma, Jonathan, Boaz en Salvador moeten soms gedacht hebben dat Pim Fortuyn een naast familielid is geweest. 'Even Pimmen' is een standaarduitdrukking in ons gezin geworden. Benyamin Heller hielp mij als geen ander om te volharden en door te zetten bij dit vaak zware karwei. Mijn vriendin Larissa Pans hielp liefdevol om mij op koers te houden. Ze was mijn grote steun en toeverlaat. Als geen ander leefde ze mee.

Dit boek is een tussenstation; alle genoemde mensen neem ik graag mee naar de eindbestemming: de biografie over het hele leven van Wilhelmus Simon Petrus Fortuyn.

# Personenregister